Para Jennifer e Mark Nisbit

Porque nada está encoberto senão para ser manifesto;

e nada foi escondido senão para vir à luz.

Jesus Cristo (Marcos 4:22)

SUMÁRIO

Introdução

As chaves do Reino

Praticamente desde o momento em que Jesus Cristo mudou o nome do pescador Simão para Pedro e lhe deu as chaves do Reino dos Céus, a religião construída em nome de Cristo começou a manter segredos por conveniência. Considerados perigosos pelos imperadores romanos, os cristãos foram para baixo da terra, literalmente, reunindo-se para orar nas catacumbas e cavernas. Inventaram gestos, símbolos e outros códigos secretos para se reconhecer, se comunicar, e evitarem ser descobertos e perseguidos. Desde sua criação, o cristianismo foi uma religião de segredos.

Depois de três séculos de repressão, a condição de proscritos daqueles que seguiam Cristo terminou quando o imperador Constantino se converteu à religião depois de ter visto a luz, literalmente. Em 312 d.C., quando se preparava para lutar contra seu mais poderoso rival, Maxêncio, junto ao rio Tibre, "ele informou ter visto a cruz de Cristo diante do sol com as palavras *In hoc signo vinces* (Com este sinal vencerás)". Ordenou aos seus homens que colocassem cruzes em seus escudos e venceu a batalha. "No ano seguinte, se encontrou com o imperador Licínio, governante das províncias orientais do Império Romano, para assinar o Édito de Milão, conferindo direitos iguais a todos os grupos religiosos dentro do império. Devolveu propriedades confiscadas dos cristãos, construiu muitas igrejas, doou terras", enviou sua mãe a Jerusalém para encontrar o lugar onde Cristo fora crucificado e construir uma igreja no lugar, e ordenou aos bispos da religião que convocassem o "primeiro Concílio de Niceia em 325 d.C. para lidar com os falsos ensinamentos no interior da igreja". Os resultados desse conclave foram uma lista formal de crenças cristãs (o Credo Niceno) e a aprovação de textos para inclusão na Bíblia Sagrada.

Nesse processo de "canonização", que excluiu textos considerados heréticos, os bispos que se reuniram em Niceia reclamaram a autoridade absoluta para decidir o conhecimento que poderia ser disseminado e o que deveria ser mantido em segredo — e que a Igreja Católica Romana mantém até hoje. Quando Constantino construiu a basílica de São Pedro na colina do Vaticano, coração de Roma, como trono dos sucessores de Pedro, ela se tornou a Santa Sé.

A basílica de São Pedro atualmente está situada no local onde no primeiro século ficava o Circo de Nero. Depois de reconhecer oficialmente a cristandade, Constantino iniciou a construção (em 324) de uma grande basílica no local em que segundo a tradição havia ocorrido a crucificação e enterro de são Pedro. Em meados do século XV, decidiu-se reconstruir a antiga basílica. O papa Nicolau V pediu ao arquiteto Bernardo Rosselino que fizesse acréscimos à velha igreja. A construção do edifício atual começou com o papa Júlio II, em 1596, e foi concluída em 1615, com o papa Paulo V. As estruturas vizinhas, que formam a Cidade do Vaticano, incluem edifícios que abrigam o Arquivo Secreto do Vaticano.

Como "defensor da fé" por mais de dezesseis séculos e depositário do conhecimento omitido durante tantos outros, o Vaticano tornou-se o foco de pessoas que tecem inúmeras lendas, mitos e histórias de feitos misteriosos; segredos sinistros e conspirações criminosas tramadas no interior de suas paredes. Contribuindo para as suspeitas que rondam o Vaticano, há uma aura de mistério que envolveu a Igreja Católica Romana por séculos, incluindo o uso do latim nas cerimônias, o segredo na escolha dos papas, vestes simbólicas e adornos de cabeça, rituais de adoração, crença em milagres e aparição de santos, e a afirmação histórica de que em questões de fé o papa era infalível. Tudo isso deixou aqueles que não são católicos com a sensação de que a Igreja estava arraigada em segredo.

Para aqueles que acreditam que o Vaticano esconde coisas, nada é mais fascinante que o Arquivo Secreto do Vaticano. Desde os anos imediatamente posteriores à crucificação de Cristo, os papas guardavam cuidadosamente os manuscritos no *Scrinium Sanctae Romanae Ecclesiae.* Atualmente, os arquivos dos 264 papas e da hierarquia do Vaticano ocupam quase cinquenta quilômetros de estantes com documentos amarrados por uma fita vermelha[1]. Ocupando edifícios da Renascença não muito distantes da Capela Sistina, na Cidade do Vaticano, coração de Roma, existem arquivos não apenas de toda a história da cristandade, mas também da civilização ocidental. Ninguém, inclusive o papa, pode afirmar com certeza quantos segredos e escândalos estão guardados nos arquivos. "Os arquivos secretos do Vaticano são usados basicamente pelo papa e sua cúria, isto é, a Santa Sé. Em 1881, sob o papa Leão XIII, os arquivos foram abertos para consulta de eruditos, tornando-se o mais importante centro de pesquisa histórica do mundo."

Uma parte do material foi disponibilizada na internet. Mais de 600 fontes de pesquisa ocupando mais de oitenta quilômetros de prateleiras, cobrindo mais de 800 anos de história, podem agora ser visitadas no *website* do Vaticano (www.vatican.va).

"O documento mais antigo é do século VII, e a partir de 1198 manteve-se ininterruptamente a documentação... É possível ver a carta

---

[1] O termo original "red tape" também significa burocracia, excesso de regras ou conformidade rígida a normas formais que são consideradas redundantes ou burocráticas, impedindo ou evitando ações ou tomadas de decisão.

de Michelangelo Buonarotti para o bispo de Cesena (janeiro de 1550), detalhes do julgamento de Galileu (de 1616 a 1633)", cartas a respeito de Henrique VIII e seu desejo de anular o casamento com Catarina de Aragão para poder se casar com Ana Bolena, e o pergaminho em que o papa Clemente V concedeu perdão aos líderes dos cavaleiros templários (17 a 20 de agosto de 1308), depois de terem morrido na fogueira.

A crença generalizada de que os arquivos do Vaticano estão repletos de segredos obscuros surgiu em 2003 com a publicação do romance de Dan Bown, *O Código Da Vinci*, e depois com o filme baseado no livro. A história fictícia apresentava um elaborado complô montado pela Igreja desde a época em que os cavaleiros templários conspiraram com ela para eliminar as provas de que Jesus foi casado com Maria Madalena, que tiveram uma filha, que a criança era o "Santo Graal" e fora levada para a França; e que seus descendentes, descendentes de Cristo, estão vivendo entre nós. Embora fatos do livro tenham sido apontados como falsos ou enganosos, o efeito causado pelo romance e pelo filme foi o de reforçar a crença de que o Vaticano faria qualquer coisa para evitar que seus segredos fossem revelados.

Apesar de *O Código Da Vinci* ter apresentado uma conspiração imaginária, a história do Vaticano está repleta de fatos reais que a Santa Sé quer manter em segredo e de incidentes que curiosos querem transformar em teorias fantásticas envolvendo assassinatos, papas envenenados, sexo ilícito, conivência com nazistas, conspirações comunistas, ouro e tesouros artísticos roubados, e outras histórias sórdidas que nada têm a ver com a verdade.

Organizado cronológica e tematicamente, este livro explora a saga fascinante dos arquivos ocultos do Vaticano para separar os fatos das lendas e esclarecer as mentiras contidas nos arquivos, desde escapadas sexuais de papas e padres, assassinatos em ordens sagradas, escândalos financeiros e intrigas internacionais a histórias de óvnis e profecias a respeito do fim do mundo.

Capítulo I

Não Lerás

Quando o diretor Ron Howard solicitou permissão em 2008 para filmar *Anjos e demônios*, último *thriller* cinematográfico baseado na obra de Dan Brown, no Vaticano e em igrejas de Roma, o arcebispo Velasio De Paolis, presidente da Prefeitura dos Assuntos Econômicos do Vaticano na época, proibiu o uso de qualquer propriedade da Igreja em Roma. Ele disse que o autor de *O Código Da Vinci* havia "deturpado os evangelhos para envenenar a fé".

Afirmando que a premissa do romance, segundo a qual Jesus e Maria Madalena se casaram e tiveram uma filha, é "uma ofensa contra Deus", De Paolis declarou que "seria inaceitável transformar igrejas em *set* de filmagens para que seus romances blasfemos se transformem em filmes comerciais". Ele acrescentou que o trabalho de Brown "fere os sentimentos religiosos básicos".

"O padre Marco Fibbi, porta-voz da diocese de Roma, disse: 'Normalmente lemos o roteiro, mas desta vez não foi necessário. O nome Dan Brown foi suficiente'."

Quando a versão cinematográfica de *O Código Da Vinci* foi lançada, um alto oficial do Vaticano instigou todos os católicos romanos a boicotarem o filme. Dizendo que o livro era "gritantemente anticristão", o cardeal Ângelo Amato, assessor próximo do papa Bento XVI, disse que era "cheio de calúnias, ofensas e erros históricos e teológicos em relação a Jesus, aos evangelhos e à Igreja. (...) Se essas mentiras e erros tivessem sido dirigidas contra o Corão ou o Holocausto, teriam provocado justíssima indignação mundial (...) Em vez disso, foram dirigidas contra a Igreja Católica e os cristãos, e ficaram impunes".

Como segundo líder mais importante na hierarquia do Vaticano, Amato insistiu para que se fizesse um boicote semelhante ao que foi feito em 1988 contra *A última tentação de Cristo*, dirigido por Martin Scorsese. Quando *O Código Da Vinci* foi publicado em 2003, as lideranças católicas se manifestaram contra. Nas semanas que antecederam o lançamento do filme, a Opus Dei, grupo católico leigo cujos membros são retratados como vilões na história, patrocinou fóruns e outros eventos públicos para refutar a premissa do livro e negar as insinuações de que o grupo é sombrio e hermético.

A proibição para Howard filmar *Anjos e demônios* em qualquer igreja de Roma e no Vaticano, os protestos contra o livro de Brown, e sua versão cinematográfica; são ecos de uma época em que o Vaticano exercia poder inquestionável de controle sobre a disseminação do conhecimento por meio de livros, o que se tornou possível graças ao processo de impressão com tipos móveis. Inventada por Johannes Gutenberg em 1454, a prensa móvel revolucionou o mundo da religião ao tornar a Bíblia amplamente acessível e levar livros impressos ao mundo todo.

Essa disseminação de material publicado levou a um esforço do Vaticano para determinar o que os católicos poderiam ler. Isso foi feito com a publicação do *Index Librorum Prohibitorum* (Índex de Livros Proibidos). "Em vigor de 1559 a 1966, o Índex relacionava os livros que os católicos não deveriam ter ou ler sob pena de excomunhão."

"Durante a longa vida do Índex", observou um artigo da *America – The National Catholic Weekly*, "o púbico ficava a par do que fora banido, mas não das razões. Atrás de portas fechadas, porém, funcionários do Vaticano realizavam longas e às vezes acaloradas discussões a respeito dos livros do dia". Depois de mais de uma década estudando o Índex, o reverendo Hubert Wolf, padre diocesano e professor de história da Universidade de Münster, na Alemanha, declarou: "Em nenhum outro lugar do mundo, uma instituição tentou controlar um meio de comunicação do mundo moderno, o livro, por mais de 400 anos".

Os registros com as discussões realizadas pela Igreja em torno de milhares de livros oferecem uma visão única do pensamento do Vaticano sobre teologia, filosofia, história, política, ciência e literatura mundial ao longo de séculos. Guardados em um porão do que já foi conhecido como Santo Ofício e agora é chamado de Congregação para a Doutrina da Fé, os arquivos ficaram fechados aos pesquisadores de fora durante séculos. A formação dos arquivos começou de fato com a Inquisição, em 1542, para combater a Reforma protestante iniciada quando Martinho Lutero desafiou a autoridade papal. Depois de pregar suas "95 teses" na porta da igreja em Wittenberg, Alemanha, em 1515, elas foram impressas em Leipzig, Nuremberg e Basileia e distribuídas amplamente. O Santo Ofício logo ficou sobrecarregado pela mistura de imprensa e autores protestantes prolíficos que as usaram para desencadear uma explosão editorial tão influente na época quanto a internet é hoje. O Vaticano criou outro ofício, a Congregação do Índex, para lidar apenas com livros, em 1571.

"O primeiro Índex, (...) publicado em 1559, baniu todos os livros de Lutero, João Calvino e outros reformadores protestantes. Como a tradução da Bíblia Sagrada para a linguagem vernacular era uma especialidade protestante, todas as bíblias foram banidas, exceto a Vulgata Latina da Igreja Católica Romana. O Talmude e o Corão também foram proibidos." O Índex também relacionava "livros que deveriam ser purgados de passagens conflitantes com os ensinamentos da Igreja. Escritores clássicos — incluindo Platão, Aristóteles, Cícero, Virgílio, Homero, Euclides, Hipócrates, Tucídides e outros — foram colocados na lista de *expurgatio* porque refletiam crenças pagãs. Os livros traduzidos por protestantes precisavam ser filtrados devido a passagens ofensivas. Em alguns casos, bastava o fato de um livro ter sido impresso em uma cidade 'protestante' para ganhar um lugar na lista de obras censuráveis..."

A Congregação do Índex reunia-se três ou quatro vezes por ano em Roma. Dois "consultores" eram nomeados para cada livro analisado. Suas descobertas eram discutidas em um encontro de cardeais na congregação. As decisões eram então levadas para a aprovação do papa. Isso produziu um acúmulo de arquivos, escritos em latim ou italiano, divididos em *Diarii*, que registravam as sessões da congregação, e *Protocolli*, com todos os tipos de papéis. A congregação da Inquisição se reunia semanalmente, mas apreciava apenas 2% ou 3% dos casos de censura, geralmente livros de teologia.

"Ao longo dos séculos, o Índex conseguiu condenar muitos escritos que depois se tornariam clássicos da cultura europeia. Entre os livros de filosofia estavam as obras de Descartes, Espinosa, Locke, Hume, Rousseau, Voltaire, Pascal, Kant e Mill. Entre os romancistas relacionados estavam Balzac, Flaubert, Hugo, Zola, D'Annunzio e Moravia. Livros dos romancistas Daniel Defoe e Jonathan Swift entraram para uma lista negra. O zelo dos censores variou com o correr dos anos e perdeu fôlego no século XX. Um dos últimos alvos foi Jean-Paul Sartre, cujas obras foram banidas já em 1948."

O cerceamento de "livros proibidos" começou com uma conferência sobre o conteúdo da Bíblia Sagrada para cristãos em 393 d.C., quando os anciãos da Igreja compilaram o Antigo Testamento e os evangelhos "aprovados" de Marcos, Mateus, Lucas e João; o livro do Apocalipse; as cartas de Pedro e Paulo; e os Atos dos Apóstolos. Com todos os outros textos banidos, a Igreja deu início a dezesseis séculos de proibição da posse e leitura dos livros reprovados e a formação no Vaticano de uma biblioteca com literatura proibida para os católicos. "Desde que os novos convertidos de são Paulo queimaram seus livros de magia em Éfeso, a Igreja tem travado uma guerra contra os livros que possam prejudicar a fé ou a moral de seus comungantes."

O Índex "relacionou os livros que os católicos não deviam ler. Entre eles edições não católicas da Bíblia, livros que atacavam o dogma católico, os que defendiam 'heresia ou cisma', e os que 'discutem, descrevem ou ensinam temas impuros ou obscenos', como *O amante de lady Chatterley*". No entanto, "qualquer católico que tivesse 'bons motivos' para ler um livro banido poderia obter permissão de seu bispo. Muitos bispos norte-americanos concediam permissões temporárias para que estudantes lessem livros necessários aos seus estudos". Apesar de o Vaticano não publicar mais um Índex, a Igreja continua a condenar livros, junto com filmes, que sejam contrários à doutrina cristã, ofensivos à Igreja ou moralmente incorretos.

Essa postura militante muitas vezes levou alguns autores a desejarem que seus livros fossem proibidos por acreditarem que a reprovação oficial da Igreja Católica produziria um aumento das vendas entre os não católicos. A condenação de *O Código Da Vinci*, e toda a publicidade decorrente da controvérsia, contribuiu para o fenomenal sucesso comercial do romance.

Depois de séculos fazendo a triagem de livros de acordo com a ortodoxia cristã e aceitabilidade moral, o Vaticano acumulou a maior coleção do mundo de livros e manuscritos condenados por questões religiosas e morais. Mas a Biblioteca do Vaticano é também repositório de volumes de ciência, história e filosofia que remontam à Antiguidade. A biblioteca atual foi criada em 1451 pelo papa Nicolau V (1447–1455). Eugênio IV legou 340 manuscritos e Nicolau V acrescentou sua própria coleção para formar a base da biblioteca. Um século antes da invenção da imprensa, ele aumentou o acervo empregando monges para copiar manuscritos que não poderiam ser comprados de seus donos. Também reuniu material que havia pertencido à Biblioteca Imperial de Constantinopla depois que a cidade caiu nas mãos dos bizantinos. Ao morrer, Nicolau havia aumentado para 1,2 mil o total de manuscritos da biblioteca. Quando o papa Sisto IV (1471–1484) decidiu abrigar a biblioteca no Palácio do Vaticano, ela ficou conhecida como Biblioteca Palatina. Atualmente, a Biblioteca do Vaticano é aberta a estudiosos e acadêmicos que apresentem uma carta de acreditação de uma universidade ou instituto de pesquisa. Sua coleção é formada por cerca de 1,6 milhão de volumes, incluindo cerca de 70 mil manuscritos e 8,3 mil incunábulos (livros impressos na segunda metade do século XV).

"Estima-se que o Arquivo Secreto do Vaticano contenha oitenta quilômetros de estantes, e só no catálogo selecionado existem 35 mil volumes. 'A publicação do Índex, em parte ou no todo, é proibida', de acordo com as regulamentações de 2005." De acordo com o *website* do Vaticano, os documentos mais antigos datam do final do século XVIII. A movimentação do material de um lugar para outro e convulsões políticas quase "causaram a perda total de todo o material de arquivo anterior ao reinado do papa Inocêncio III. A partir de 1198 existem arquivos mais completos, embora a documentação seja escassa antes do século XIII". Os documentos de maior interesse para os historiadores são aqueles relativos à Inquisição.

"A Inquisição em si foi estabelecida pelo papa Gregório IX em 1233 como tribunal especial para ajudar a conter a influência da heresia. Expandiu-se à medida que funcionários da Igreja começaram a usar autoridades civis para multar, prender e até torturar os hereges. Chegou ao auge no século XVI para frear a expansão da Reforma protestante. Mais tarde, transformou-se no Santo Ofício, que foi sucedido pela Congregação para a Doutrina da Fé, que controla a ortodoxia dos ensinamentos católicos romanos. Seu antigo superior, o cardeal Joseph Ratzinger, o papa emérito Bento XVI, declarou a abertura dos arquivos em uma conferência especial na qual lembrou como a decisão surgiu a partir de uma carta escrita para o papa João Paulo II (...) por Carlo Ginzburg, professor ateu de ascendência judaica, de Los Angeles. O papa escreveu: 'Estou certo de que a abertura de nossos arquivos atenderá não apenas às aspirações legítimas de estudiosos, mas também à firme intenção da Igreja de servir o homem ajudando-o a entender a si mesmo por meio da leitura sem preconceito de sua própria história'."

Indiscutivelmente, o julgamento mais infame da Inquisição foi o do astrônomo Galileu Galilei. Nascido em 1564 em Pisa, Itália, Galileu decidiu estudar medicina. Matriculou-se na Universidade de Pisa em 1581, mas logo mudou seus interesses científicos e começou a estudar física e matemática. Entre suas experiências, dizem (mas não há confirmação), estava a tomada de seu pulso para cronometrar as oscilações de uma lâmpada pendurada no teto da catedral de Pisa. Em suas experiências posteriores, descreveu a física do pêndulo. Jogando bolas de pesos variados do alto da Torre de Pisa, descobriu que caíam com a mesma velocidade e aceleração uniforme.

Obrigado por razões financeiras a abandonar a universidade sem obter um diploma, voltou para Florença, mas acabou retornando à universidade como professor e tornou-se figura atuante nas discussões e controvérsias do *campus*. A rebeldia inerente a Galileu chamou a atenção da faculdade e dos estudantes quando ele zombou do costume de se usarem túnicas acadêmicas, declarando que seria melhor abandonarem as roupas completamente.

Após a morte do pai em 1591, tornou-se o responsável pelo sustento de sua mãe e irmãos; por isso aceitou um posto na Universidade de Pádua, que lhe garantia uma remuneração melhor.

Aí ficou por dezoito anos, enquanto ampliava seu interesse pela astronomia, modificando um telescópio simples para poder estudar as montanhas da Lua, as fases de Vênus, as luas de Júpiter, pontos na superfície do Sol e as estrelas da Via Láctea. Ao publicar suas descobertas em um livreto intitulado *Mensageiro sideral* ou *Mensagem sideral* (*Sidereus nuncius*), sua reputação científica subiu como um foguete. Suas observações retomaram o interesse pelas teorias propostas em 1543 por Nicolau Copérnico, segundo as quais o Sol era o centro do universo e a Terra era um planeta giratório que o circundava.

Ao abraçar as ideias de Copérnico, Galileu colocou-se em conflito com a doutrina da Igreja sobre a Criação, baseada no relato do Gênesis. Conhecida como geocentrismo, essa teoria colocava a Terra como centro do universo e o Sol e as estrelas circulando ao seu redor. Tendo declarado em 1616 que a visão de Copérnico era perigosa para a fé, a Igreja convocou Galileu a ir à cidade de Roma onde recebeu "instruções" do cardeal Roberto Belarmino para não "abraçar, ensinar e defender de maneira alguma, com palavras ou em textos", a doutrina de Copérnico. Foi uma advertência séria. Mas, quatro anos depois, Galileu descobriu que o papa, Urbano VIII, havia declarado que "a Sagrada Igreja não tinha condenado e não condenaria" a doutrina de Copérnico como herética, mas apenas como "temerária, embora não houvesse possibilidade de alguém demonstrar que era necessariamente verdadeira".

Interpretando essas palavras como permissão indireta para continuar suas pesquisas sobre a visão de Copérnico, Galileu mergulhou nos estudos por seis anos. O resultado foi uma defesa vigorosa de Copérnico em *Diálogo sobre os dois principais sistemas do mundo*. Ao publicá-lo, Galileu teve que ir novamente a Roma, acusado de desafiar as instruções do cardeal Belarmino. O julgamento por um conselho de cardeais começou no outono de 1632.

Ao concluir o inquérito, um ano depois, a Igreja declarou Galileu "suspeito de heresia" por ter sustentado e acreditado na "falsa doutrina" de que a Terra não era o centro do universo. Os cardeais informaram a Galileu, nessa época com setenta anos de idade, que o Santo Ofício estava disposto a absolvê-lo desde que ele, "com coração sincero e fé não dissimulada, em nossa presença abjure [repudie], amaldiçoe e despreze tais erros e heresias". Declarando proibido o *Diálogo*, o conselho de juízes o condenou à "prisão no Santo Ofício ao nosso bel-prazer". Mas reservaram "o poder de moderar, comutar ou revogar" a sentença. O que eles fariam dependeria da disposição de Galileu de se ajoelhar diante deles para abjurar.

Admitindo em 21 de junho de 1633 que havia desafiado o aviso de não falar ou escrever em defesa de Copérnico, ele disse: "Abjuro com coração sincero e fé não fingida esses erros e heresias, e os amaldiçoo e desprezo, e juro no futuro não dizer nem afirmar verbalmente, ou por escrito, o que possa lançar sobre mim suspeitas semelhantes".

Depois de um período de confinamento, Galileu recebeu permissão para voltar à sua casa, perto de Florença, onde viveu recluso, debilitado, e acabou praticamente cego. Ele morreu em 8 de janeiro de 1642.

Os relatos de sua submissão à Igreja, publicados mais de um século depois, contêm uma declaração que pode ser uma lenda. Ao erguer-se depois de ter abjurado, ele teria dito *Eppur si muove* (E, no entanto, [a Terra] se move).

Em novembro de 1992, em uma cerimônia em Roma, diante da Pontifícia Academia de Ciências, o papa João Paulo II declarou oficialmente que Galileu estava certo. A reabilitação formal baseou-se nas descobertas de um comitê da academia formado pelo papa em 1979, logo após assumir o cargo. O comitê decidiu que a Inquisição havia agido de boa-fé, mas estava errada. Atualmente o Vaticano tem seu próprio observatório astronômico.

O Vaticano observou que os arquivos da Inquisição e o Índex não sobreviveram bem aos séculos. Como a "Igreja tinha a tradição de queimar muitos dos arquivos com heresias mais delicadas", e o arquivo da Inquisição havia sido quase inteiramente queimado quando o papa Paulo IV morreu, em 1559, muitos documentos se perderam. Alguns foram levados para Paris sob o domínio de Napoleão em 1810 (...) e mais de 2 mil volumes foram queimados. "Alguns caíram nos rios durante o transporte, outros foram vendidos como papel ou se misturaram com outros arquivos." O Vaticano possui atualmente "cerca de 4,5 mil volumes, dos quais apenas uma pequena parte se refere aos julgamentos de heresias. O resto trata de controvérsias teológicas e questões espirituais".

A *origem das espécies*, de Charles Darwin e base da teoria da evolução, nunca foi banido pela Igreja. Ao contrário de algumas igrejas protestantes fundamentalistas que acatam a Bíblia literalmente quanto ao tema de que Deus criou a humanidade, a Terra e o universo em sete dias, o Vaticano recentemente declarou que é possível que algumas espécies, com a ajuda de um poder superior, tenham conseguido evoluir para as espécies existentes no mundo atual.

Noticiando a abertura de uma exposição do acervo do arquivo do Vaticano em 2008, a revista *Newsweek* observou que a mostra incluía "documentos sobre as restrições da Igreja ao movimento dos judeus, instruções para a perseguição dos protestantes. (...) Havia mapas do século XVIII descrevendo os guetos de Roma, Ancona e Ferrara, mostrando onde os judeus podiam viver, em rosa ou amarelo, e em azul onde tinham autorização para manter seus negócios. Havia documentos com regras escritas à mão descrevendo quando as mulheres judias poderiam estar fora das áreas restritas e o que poderiam vestir. Havia desenhos das prisões, longas listas de livros banidos e éditos. (...) Um de 1611 descrevia como os inquisidores deveriam se comportar no trabalho e fora dele, e havia uma ilustração mostrando o que as crianças deveriam usar para ir à escola e à praia. Os investigadores eram informados até dos pijamas aceitáveis.

"Outros documentos visavam caçadores e pescadores, que estariam invadindo o território do Vaticano. E há uma joia do século XIX, sobre um homem que foi condenado à morte por afirmar que era santo. Os inquisidores tinham autoridade em áreas que iam da iconografia à forma como as imagens de santos e prelados podiam ser retratadas.

"Essa não foi a primeira vez que a Igreja tentou mostrar que os juízes da Inquisição não eram tão brutais quanto se acreditava anteriormente. Em 2004, o Vaticano publicou um relatório de 800 páginas declarando que daqueles investigados como heréticos pela notória Inquisição espanhola, que era independente de Roma no século XV, apenas 1,8% dos acusados foi realmente executado. No entanto, o papa João Paulo II se referiu à campanha de 700 anos da Igreja contra a heresia como uma 'fase atormentada' e o 'maior erro da história da Igreja'."

Um dos livros que escapou de ser banido foi um romance clássico do século XIX, *A cabana do pai Tomás*, de Harriet Beecher Stowe. Enquanto estava sendo examinado pelos inquisidores em Roma, que formaram um departamento conhecido como Sagrada Congregação do Índex, um dos leitores do Vaticano considerou a história da escravidão nos Estados Unidos um apelo implícito para a revolução. Quando foi solicitada aos inquisidores uma segunda opinião, eles não consideraram o livro prejudicial, e por isso jamais decretaram sua proibição.

Antes da Segunda Guerra Mundial, a "obra cheia de ódio de Adolf Hitler, *Minha luta (Mein Kampf)*, também nunca foi colocada no Índex. (...) Os censores discutiram o que fazer com o ditador nazista, e a discussão se estendeu por anos". No final, a avaliação de *Minha luta* foi simplesmente encerrada.

Mais recentemente, cartas enviadas pelo cardeal Joseph Ratzinger a uma crítica literária alemã colocaram em discussão os livros de Harry Potter. "Em março de 2003, um mês após a imprensa de língua inglesa em todo o mundo ter proclamado falsamente que o papa João Paulo II aprovava Harry Potter, o homem que se tornaria seu sucessor enviou uma carta a Gabriele Kuby concordando com sua oposição à obra de J. K. Rowling" e sua opinião de que era "leitura moralmente não saudável" para as crianças. "Em carta datada de 7 de março de 2003, o cardeal Ratzinger agradeceu a Kuby por seu 'instrutivo' livro (intitulado *Harry Potter: Good or Evil?)*, em que Kuby afirma que os livros de Harry Potter corrompem o coração dos jovens, impedindo que desenvolvam uma noção adequada de bem e mal, o que prejudica sua relação com Deus enquanto essa relação ainda está em estágio inicial. 'É bom que você esclareça as pessoas a respeito de Harry Potter, pois a sedução é sutil, age sem ser percebida e por meio de uma profunda distorção do cristianismo na alma, antes que possa se desenvolver adequadamente', escreveu Ratzinger.

"A carta também encorajava Kuby a enviar seu livro a um prelado que, ao fazer uma brincadeira com Harry Potter, havia induzido a falsa ideia de apoio do Vaticano. Em uma coletiva de imprensa para a apresentação de um estudo a respeito da Nova Era no mesmo ano de 2003, (...) o padre Peter Fleetwood fez um comentário positivo a respeito dos livros de Harry Potter ao responder à pergunta de um repórter. Isso resultou em manchetes como O PAPA APROVA POTTER (*Toronto Star*), O PAPA DEFENDE LIVROS DE POTTER (*BBC Newsround*) e HARRY POTTER É APROVADO PELO PONTÍFICE (*Chicago Sun Times*)."

Principalmente devido ao livro *O Código Da Vinci*, de Dan Brown, apresentar a história da investigação sobre uma conspiração milenar por parte da Igreja e dos cruzados, conhecidos como cavaleiros templários, para manter um segredo envolvendo Jesus — que, se revelado, abalaria as bases da cristandade —, para milhões de pessoas no mundo não há nada mais fascinante em relação ao Arquivo Secreto do Vaticano do que descobrir o que há nele sobre os notórios cavaleiros.

Capítulo 2

A VERDADE SOBRE OS TEMPLÁRIOS

Jacques de Molay,
último grão-mestre
templário

Nenhum papa teve influência mais duradoura no curso da história mundial do que Urbano II. O conflito atual entre as democracias cristãs do mundo ocidental e os terroristas fundamentalistas islâmicos do Oriente Médio pode ser atribuído ao seu apelo aos príncipes cristãos da Europa por uma cruzada para resgatar a Terra Santa dos muçulmanos.

"No discurso feito no Concílio de Clermont, na França, em 27 de novembro de 1095, ele combinou a ideia de peregrinação à Terra Santa com a de guerra santa. (...) Ele declarou: 'A nobre raça dos francos (franceses) deve vir em auxílio de seus camaradas cristãos no Leste. Os turcos infiéis estão avançando para o coração da cristandade oriental; os cristãos estão sendo oprimidos e atacados; as igrejas e lugares santos estão sendo conspurcados. Jerusalém está gemendo sob o jugo sarraceno (muçulmano). O Sepulcro Sagrado [a igreja de Jerusalém que segundo as tradições cristãs marca o local onde Cristo foi enterrado] está em mãos muçulmanas e foi transformado em mesquita. Os peregrinos são perseguidos e até mesmo impedidos de chegar à Terra Sagrada. O Ocidente deve marchar em defesa do Oriente. Todos devem ir, ricos e pobres. Os francos devem pôr fim às suas guerras e disputas internas. Devem ir contra os infiéis e lutar uma guerra justa. Deus os guiará, pois estarão fazendo Seu trabalho. Haverá absolvição e remissão dos pecados para todos os que morrerem a serviço de Cristo. Aqui eles são pobres e miseráveis pecadores; lá serão ricos e felizes. Que ninguém hesite; eles devem marchar no próximo verão. Deus assim o deseja!'"

Foram empreendidas sete cruzadas entre 1095 e 1250, mas após o sucesso inicial da conquista de Jerusalém, os cruzados não conseguiram manter o Santo Sepulcro. Desses quase 200 anos de expedições militares realizadas por guerreiros medievais em nome de Deus, surgiram figuras românticas como o rei Ricardo Coração de Leão e os cavaleiros fictícios da távola redonda de Camelot, do rei Arthur, sempre em busca do Santo Graal. Mas foi um romance do século XXI que tirou um grupo de cruzados dos livros de história, trazendo-o para a cultura popular.

O arcebispo Guilherme de Tiro, testemunha ocular, escreveu em 1118 a respeito dos cavaleiros templários que "certos homens nobres no posto de cavaleiros, homens religiosos, devotos e tementes a Deus, colocaram-se a serviço de Cristo" e prometeram viver "sem posses, sob os votos da castidade e obediência". Seus líderes eram Hugo de Payens, cavaleiro da Borgonha, e Godefroid (Godofredo) de St. Omer, do sul da França. Sem "uma igreja ou residência fixa" quando chegaram a Jerusalém, tiveram permissão para "morar perto do Templo do Senhor" (as ruínas do templo judaico em Jerusalém). Seu principal dever era "proteger as rotas e estradas contra o ataque de bandidos e ladrões". E fizeram isso, observou Guilherme de Tiro, "especialmente para proteger os peregrinos". Por nove anos após a fundação da ordem, os cavaleiros templários usaram roupas seculares. Usavam "as roupas que as pessoas, para a salvação de suas almas, lhes davam".

Adotando o nome de "Pobres Cavaleiros de Cristo e do Templo de Salomão", ficaram conhecidos como templários. Sancionados pela Igreja em 1128 no Concílio de Troyes, logo foram reconhecidos, e temidos, por sua ferocidade nas batalhas. "Após a retomada de Jerusalém pelo Islã em 1239, conquistaram a ilha de Chipre para quartel-general da ordem e usaram a vasta riqueza acumulada com espólios de guerra para se firmarem como financistas internacionais." Inventando o sistema bancário, montaram um Templo em Paris, tornando-se o equivalente medieval dos atuais Banco Mundial e Organização Mundial do Comércio. Mais ricos do que qualquer governo do continente, esses outrora "Pobres Cavaleiros de Cristo" passaram de nove para algo entre 15 mil e 20 mil membros, com 9 mil mansões e castelos.

"Eles cresceram tanto, que há nessa ordem atualmente", escreveu Guilherme de Tiro em algum momento entre 1170 e 1174, "cerca de 300 cavaleiros que usam mantos brancos, além dos irmãos, muito numerosos. Dizem que eles têm imensas posses tanto aqui como no exterior, de forma que não há hoje uma única província no mundo cristão que não tenha concedido aos tais irmãos uma parcela de seus bens. Dizem que sua riqueza é tão grande quanto os tesouros dos reis."

Os templários tornaram-se tão ricos e poderosos, observou Guilherme, que "se tornaram extremamente problemáticos".

Seu líder nessa época era Jacques de Molay. Nascido em 1244 em Vitrey, França, entrou para os Cavaleiros Templários em 1265, com a idade de vinte e um anos. Depois de subir rapidamente na hierarquia, passou muito tempo na Grã-Bretanha. Por fim, apontado como visitante geral e grande preceptor de toda a Inglaterra, tornou-se chefe da ordem após a morte de seu vigésimo segundo grão-mestre. Então se mudou da Inglaterra para Chipre. Foi aí, no outono de 1307, que se viu chamado de volta à França por ordem do rei Filipe IV, conhecido como "o Belo", e do papa Clemente V. Acredita-se que a convocação foi resultado do medo real e papal e inveja do poder e riqueza dos templários. Outra explicação é que Filipe, o Belo estava tão profundamente endividado com os templários que decidiu que a única maneira de resolver o problema era eliminando a ordem.

Na sexta-feira, 13 de outubro de 1307, funcionários da Corte de Justiça do rei entraram no quartel-general dos templários em Paris e prenderam os cavaleiros. Presos e torturados, foram obrigados a confessar heresias, entre elas a adoração do demônio e perversões sexuais.

Foi-lhes oferecida a escolha entre a renúncia ou a morte. Apesar de ter confessado sob tortura, De Molay rapidamente renegou a renúncia. Condenado com outro templário, foi levado para uma ilha do rio Sena, à sombra da Catedral de Notre-Dame, e queimado em 1312.

Existe uma lenda segundo a qual, enquanto as chamas cresciam ao seu redor, ele profetizou que o rei e o papa morreriam em um ano. A profecia se realizou. Mas antes de morrer, o papa dissolveu a ordem e avisou a todos os que ousassem pensar em se juntar aos templários que seriam excomungados e condenados como hereges. Apesar da decisão do rei Filipe e do papa Clemente de erradicar os templários, alguns conseguiram escapar e, acredita-se, estabeleceram a ordem na Escócia. Hoje a Ordem dos Cavaleiros Templários sobrevive como afiliada da Maçonaria.

Embora os arquivos do Vaticano e os volumes de história europeia contenham inúmeros relatos em que se cruzam os objetivos de reis e papas, e até casos de conspiração, nada se compara ao acordo feito entre o papa Clemente V e Filipe, o Belo para encobrir a avareza com o manto da religião. O fato de Clemente reconhecer a ilegalidade das acusações de heresia contra os cavaleiros templários foi registrado em um documento colocado nos arquivos secretos do Vaticano, e lá permaneceu por sete séculos.

Para espanto dos historiadores, em 2007 o Vaticano anunciou que publicaria 799 cópias com detalhes dos julgamentos dos templários, *Processus Contra Templarius*, que pretendia vender por cerca de 8 mil dólares norte-americanos. A compilação gigantesca viria em encadernação luxuosa de couro, com reproduções detalhadas dos documentos originais em latim sobre os julgamentos.

A coleção de documentos incluía o Pergaminho de Chinon — cidade francesa onde foram realizados os julgamentos — que registrava por que o papa Clemente V havia dissolvido a Ordem dos Cavaleiros Templários e emitido mandados de prisão para todos os membros. O pergaminho havia sido descoberto nos arquivos secretos do Vaticano em 2001 pela professora Barbara Frale.

"Eu não conseguia acreditar quando o encontrei", ela disse. "O papel foi colocado em um arquivo errado no século XVII."

"O documento (...) revela que os templários tinham uma cerimônia de iniciação que envolvia 'cuspir na cruz', 'negar Jesus' e beijar a lombar, o umbigo e a boca do homem que propusesse sua filiação. Os templários explicaram ao papa Clemente que a iniciação imitava a humilhação que os cavaleiros poderiam sofrer se caíssem nas mãos dos sarracenos, e a cerimônia do beijo era um sinal de completa obediência. O papa concluiu que o ritual não era realmente blasfemo, como alegava o rei Filipe ao prender os cavaleiros. No entanto, foi forçado a dissolver a ordem para manter a paz com a França e evitar um cisma na Igreja.

"Isso prova que os templários não eram hereges", disse a professora Frale.

"O documento contém a absolvição dada pelo papa Clemente V ao grão-mestre do Templo, Jacques de Molay, e aos outros chefes da ordem, depois que eles 'se mostraram arrependidos' e pediram para ser perdoados pela Igreja. Após a abjuração formal, obrigatória para todos aqueles que fossem simplesmente suspeitos de crimes ateístas, os principais líderes da Ordem dos Templários são restabelecidos na comunhão católica e readmitidos para receber os sacramentos. O documento trata da primeira fase do julgamento dos templários, quando o papa Clemente V ainda estava convencido de que talvez conseguisse garantir a sobrevivência da ordem militar-religiosa e atender à necessidade apostólica de remover a vergonha da excomunhão dos membros religiosos e guerreiros, causada por sua negação de Jesus Cristo quando torturados pelo inquisidor francês.

"Como confirmam várias fontes contemporâneas, o papa havia apurado que os templários estavam envolvidos em algumas formas graves de imoralidade, e então planejava uma reforma radical da ordem para depois fundi-la com outra ordem militar-religiosa. (...) O Ato de Chinon, requisito para a realização da reforma, permaneceu, entretanto, letra morta. A monarquia francesa reagiu iniciando um mecanismo de chantagem, que teria obrigado Clemente V a tomar uma decisão final durante o Concílio de Viena (1312). Incapaz de se opor à vontade do rei Filipe, o Belo, que ordenara a eliminação dos templários, o papa ouviu a opinião dos padres conciliares e decidiu abolir a ordem. (...) Clemente afirmou que essa decisão sofrida não equivalia a um ato de condenação da heresia, que não poderia ser alcançada com base nos vários inquéritos realizados nos anos anteriores ao concílio. (...)

"De acordo com o pontífice, o escândalo criado com as 'vergonhosas acusações' contra os cavaleiros templários (heresia, idolatria, homossexualidade e comportamento obsceno) teria dissuadido qualquer um de usar o hábito templário, e por outro lado, o atraso em uma decisão sobre essas questões produziria o desperdício da grande riqueza que os cristãos da Terra Sagrada haviam oferecido aos templários, encarregados de ajudar a combater os inimigos da fé da Terra Sagrada. A consideração atenta desses perigos, junto com a pressão dos franceses, convenceu o papa a abolir a Ordem dos Cavaleiros do Templo."

A absolvição do papa Clemente não teve valor terreno para De Molay. Pelos pecados e crimes cometidos contra Deus e a Igreja, que ele confessou sob tortura, foi condenado à fogueira. Outros templários também foram executados, e seus tesouros foram confiscados pelo rei Filipe.

Após a publicação do documento de Chinon, o *London Daily Telegraph* noticiou que "a Associação Ordem Soberana do Templo de Cristo havia entrado com um processo na Espanha exigindo que o papa Bento 'reconhecesse' o confisco dos bens dos templários no valor de 100 bilhões de euros. O grupo dos templários com sede na Espanha declarou: 'Não estamos tentando provocar o colapso econômico da Igreja Católica Romana, mas demonstrar para a Corte a magnitude do complô contra a Ordem'".

Sobre as revelações do Pergaminho de Chinon, a revista *Time* observou que "a ideia de que tanto dinheiro, poder e influência tenham

Rei Filipe, o Belo

desaparecido com um golpe da pena papal parece ter sido demais para a mítica sensibilidade ocidental, que gostaria de acreditar que os templários tinham, de alguma maneira, sobrevivido, se adaptado ou se transformado em outro grupo, ainda mais secreto e transnacional".

Ao longo dos séculos, a ordem supostamente ainda existente tem sido retratada como maligna, benigna, heroica e oculta. A *Time* observou que "organizações de todo o mundo, sem ter nenhuma ligação direta, se apropriaram do seu nome. (...) Essas homenagens não devem obscurecer o fato de que, por maior que seja seu poder no reino da ficção e da fantasia, quase certamente não se compara ao que já possuiu realmente — e que perdeu abruptamente".

Cinco séculos após o conluio entre o papa Clemente V e o rei Filipe, o Belo ter aniquilado os templários, os arquivos do Vaticano receberam uma declaração conhecida como "bula" (encíclica) papal emitida pelo papa Leão XIII que proibia a adesão dos católicos à Maçonaria. Intitulada *Humanum Genus*, promulgada no dia 20 de abril de 1884, declarava "Que nenhum homem pense que pode por qualquer motivo filiar-se à seita maçônica se valoriza seu nome católico e sua salvação eterna como deve valorizar". O Código da Lei Canônica, edição de 1917, no Cânone 2.335, declarou: "Pessoas que aderem a associações da seita maçônica ou quaisquer outras do mesmo tipo que tramam contra a Igreja, e as autoridades civis legítimas, incorrem *ipso facto* à excomunhão reservada simplesmente à Sé Apostólica".

No dia 18 de julho de 1974, o cardeal Franjo Seper, prefeito da Sagrada Congregação da Doutrina da Fé, escreveu uma carta aos presidentes de todas as conferências episcopais dizendo: "(1) A Santa Sé tem repetidamente procurado informações dos bispos sobre atividades maçônicas contemporâneas dirigidas contra a Igreja; (2) não haverá nova lei sobre essa matéria enquanto se aguarda a revisão da Lei Canônica incluindo o Cânone 2.335; (3) todos os cânones penais devem ser interpretados estritamente; e (4) a proibição expressa contra a filiação à Maçonaria de clérigos, religiosos e membros de instituições seculares permanecerá em vigor".

"Muitos sacerdotes bem-intencionados interpretaram essa carta (...) como permissão para que católicos leigos se tornassem maçons caso o bispo local considerasse que a loja em questão não estava conspirando ativamente contra a Igreja Católica ou as autoridades civis. Como o Cânone 2.335 estava em vigor na época, e assim permaneceu até 1983, deveriam ter compreendido que nem mesmo o cardeal Seper tinha autoridade para permitir que os católicos leigos se tornassem maçons. Em 17 de fevereiro de 1981, o cardeal Seper tentou pôr um fim à confusão com uma declaração formal que dizia que sua carta original não havia de maneira alguma alterado a força do Cânone 2.335, e que as penalidades canônicas declaradas não estavam de maneira alguma revogadas. (...)

"Quando surgiu o novo Código, em 1983, o Cânone 1.374 declarou: 'Uma pessoa que se filia a uma associação que trama contra a Igreja será punida com uma penalidade justa; quem promover ou ocupar um cargo em tal associação será punido com uma interdição'. (...)

"O cardeal Joseph Ratzinger, então novo prefeito da Congregação para a Doutrina da Fé e agora papa emérito Bento XVI promulgou sua Declaração sobre as Associações Maçônicas (...) na qual afirma que 'o julgamento negativo da Igreja em relação às associações maçônicas permanece inalterado, pois seus princípios sempre foram considerados irreconciliáveis com a doutrina da Igreja, e por isso a filiação a elas continua proibida. Os fiéis que se filiarem às associações maçônicas estarão cometendo pecado grave e não poderão receber a Sagrada Comunhão'."

"O Vaticano esperava que a maioria das cópias do pergaminho de Chinon fosse adquirida por bibliotecas especializadas das principais universidades e por importantes estudiosos da Idade Média. A Biblioteca Maçônica Livingston, de Nova Iorque, talvez seja a única instituição de pesquisa maçônica a adquirir um exemplar. (...) 'Temos consciência de que essa compra despertará alguma reprovação, tanto no interior como fora da fraternidade maçônica', observou Thomas M. Savini, diretor da Biblioteca Maçônica Livingston. 'Mas a aquisição dessa obra condiz com nossa missão de recolher, estudar e preservar a herança maçônica, que inclui a pesquisa das raízes históricas da Maçonaria, mas também o estudo de suas raízes inspiradoras, o que inclui os rosa-cruzes, a filosofia do iluminismo europeu e os cavaleiros templários. Essa reunião de documentos é importante não apenas para estudiosos da Maçonaria, mas para especialistas em religião e Idade Média, e também historiadores. É importante que alguém nos Estados Unidos disponibilize esses documentos e o Conselho de Diretores da Biblioteca concordou, por unanimidade, que seríamos nós.'"

Capítulo 3

OS TESOUROS DO VATICANO

Erguida na margem esquerda do rio Tibre em Roma, perto do Circo de Nero, onde segundo a tradição "são Pedro, o primeiro papa e apóstolo a quem Cristo confiou seu ministério, foi martirizado em 67 d.C. A sede da Santa Sé e local da principal residência do papa é o menor estado independente do mundo". Mas é o mais rico?

"Em 320–327 d.C., o imperador Constantino construiu uma basílica de cinco naves", sobre o que se acredita ser o local da sepultura de são Pedro, "com um santuário na abside da igreja para marcar a localização da tumba. No século XV, o edifício estava em mau estado e havia necessidade de mais espaço; foram feitos planos para reformar e ampliar a igreja." No reinado do papa Júlio II (1503–1513), conhecido como o Papa Guerreiro por ter "vestido armadura para liderar tropas em defesa das terras papais", o trabalho começou com um túmulo para Júlio, um enorme monumento independente criado por Michelangelo. Júlio decidiu então derrubar a basílica constantina e reconstruir a São Pedro inteiramente.

"Ao mesmo tempo, Júlio encomendou afrescos para o interior do Palácio Vaticano. Ele pediu a Rafael que pintasse quatro salas para serem usadas como área de recepção e escritórios papais." Enquanto

Rafael trabalhava, Michelangelo estava pintando o teto da capela papal conhecida como Capela Sistina (1508–1512). "Michelangelo pintou a abóboda com cenas do livro do Gênesis: a criação do mundo e de Adão e Eva, a expulsão do Jardim do Éden e a destruição do mundo pelo dilúvio. (...)

"Em 1546, Michelangelo, então com setenta e um anos, foi nomeado arquiteto da São Pedro e desmanchou algumas construções"; também começou a trabalhar na "primeira grande cúpula a ser erguida em uma colunata. Projetada por Michelangelo, mas só terminada após sua morte, a abóboda coroa a igreja".

Centro geográfico da Igreja Católica Romana, o Vaticano possui algumas das mais preciosas obras de arte do mundo, e muitos acreditam que seja a organização mais rica do planeta.

Em um livro sobre os tesouros do Vaticano, *The Vatican Billions* (Os bilhões do Vaticano), Avro Manhattan observou que "a Igreja Católica é o maior poder financeiro, maior acumuladora de riquezas e a maior proprietária de terras atualmente. Possui mais riquezas materiais do que qualquer outra instituição, corporação, banco, truste gigantesco, governo ou estado do mundo inteiro. O papa, como governante desse imenso acúmulo de riquezas, é, consequentemente, o indivíduo mais rico do século XX. Ninguém tem condições de dizer precisamente quanto ele vale em termos de bilhões de dólares".

Segundo o autor, a Santa Sé tinha grandes investimentos com os Rothschild na Inglaterra, França e Estados Unidos, e no Hambros Bank e Credit Suisse em Londres e Zurique. Nos Estados Unidos, tem *holdings* com o Morgan Bank, Chase-Manhattan Bank, First National Bank of New York, Bankers Trust Company e outros. Entre seus investimentos estão bilhões de ações das mais poderosas corporações internacionais, como Gulf Oil, Shell, General Motors, General Electric, IBM e outras. Segundo uma estimativa conservadora, a quantidade de investimentos é superior a 500 milhões de dólares só nos Estados Unidos.

Em um comunicado publicado recentemente, a arquidiocese de Boston declarou ativos no valor de US$ 635.891.004, o que representava

9,9 vezes o seu passivo. Com isso restava um patrimônio líquido de US$ 571.704.953. "Não é difícil descobrir a riqueza absolutamente impressionante da igreja", disse Manhattan, "quando somamos as riquezas das vinte e oito arquidioceses e 122 dioceses nos Estados Unidos, algumas das quais são ainda mais ricas que a de Boston. Pode-se ter uma ideia das propriedades e outras formas de riqueza controladas pela Igreja Católica pela declaração de um membro da Conferência Católica de Nova Iorque, segundo a qual sua igreja 'provavelmente só perde para o governo dos Estados Unidos no volume de compras anuais'."

Essas estatísticas indicavam que a Igreja Católica Romana, uma vez calculados todos os ativos, era o corretor mais incrível do mundo. A Santa Sé, independentemente do papa que estivesse ocupando o cargo, foi se voltando cada vez mais para os Estados Unidos. Um artigo do *Wall Street Journal* disse que os negócios financeiros do Vaticano só nos Estados Unidos eram tão grandes, que frequentemente envolviam a compra ou venda de ouro em lotes de um milhão de dólares ou mais de cada vez.

Segundo a *United Nations World Magazine*, o tesouro do Vaticano chegava a vários bilhões de dólares em ouro. Boa parte dele estava armazenada em lingotes no Federal Reserve Bank dos Estados Unidos, e o restante em bancos da Suíça e Inglaterra. A riqueza do Vaticano apenas nos Estados Unidos era maior do que a das cinco corporações mais ricas do país.

Mas, em 1987, a revista *Fortune* noticiou que "Apesar de todo o seu esplendor, o Vaticano está praticamente falido". O artigo dizia: "Depois de ter sobrevivido a invasões bárbaras, perseguições, inúmeras pragas e cismas ocasionais, o papado agora enfrenta um problema da era moderna: um profundo aperto financeiro. Os custos da burocracia crescente do Vaticano superam em muito seus recursos".

No ano anterior, a Santa Sé captou 57,3 milhões de dólares de fontes tão diversas quanto taxas de cerimônias; receitas de publicações, anúncios em jornais e vendas de videocassetes; e modestos ganhos de investimento de 18 milhões de dólares. Com investimentos da ordem de 500 milhões de dólares, o Vaticano controlou menos recursos financeiros do que muitas universidades norte-americanas.

Na primavera de 2008, o Vaticano informou que seus contadores haviam registrado uma perda em suas contas anuais pela primeira vez em quatro anos. O relatório dizia que a Santa Sé perdera quase 10 milhões de euros depois de investir em dólares antes da queda acentuada da moeda norte-americana em relação ao euro. "E o buraco no orçamento teria sido ainda pior", disse uma fonte, "se a Igreja não tivesse elevado os aluguéis de suas propriedades em Roma, sobre as quais não paga impostos ao estado italiano."

Os aumentos nos aluguéis teriam provocado grande polêmica em Roma, pois a Igreja teria ameaçado despejar os inquilinos que não pagassem. O prejuízo também foi atribuído ao péssimo desempenho dos veículos de comunicação do Vaticano, incluindo um jornal e uma estação de rádio, que haviam perdido aproximadamente 15 milhões de euros no ano anterior. Em 2007, o Vaticano reportou uma receita geral de 236,7 milhões de euros, enquanto as despesas totalizaram 245,8 milhões de euros.

Boa parte da receita do Vaticano vem de doações de membros da Igreja em todo o mundo. Os católicos norte-americanos contribuem com cerca de 80 milhões de dólares. Especialistas avaliaram que a riqueza total do Vaticano em 2008 superava os 5 bilhões de euros.

O tamanho exato da riqueza do Vaticano em bancos e ações é assunto controverso, e a Santa Sé não revela. Mas dinheiro e investimentos não constituem toda a medida da riqueza da Cidade do Vaticano. A Santa Sé possui a maior coleção de tesouros artísticos do mundo. Em museus, locais de exibição pública, em câmaras privadas, corredores de mármore, igrejas, capelas, e na basílica de São Pedro podem ser encontradas pinturas, afrescos, desenhos, esculturas e vitrais criados pelos maiores artistas da história ao longo de séculos desde antes de Cristo até hoje.

"A primeira coleção de antiguidades do mundo foi criada pelos papas Júlio II, Leão X, Clemente VII, Paulo III e Pio V. Entre elas estavam o *Torso de Hércules*, o *Apolo Belvedere* e o *Grupo de Laocoonte*. Pio VI deu continuidade à atividade de Clemente XIV com tamanho sucesso, que suas coleções (...) foram reunidas em um grande museu (...) o Museu Pio-Clementino. Ele tem onze salas repletas de antiguidades celebradas."

"A fundação dos Museus Vaticanos remonta a 1503, quando o recém-eleito papa Júlio II della Rovere colocou uma estátua de Apolo no pátio interno do Palácio Belvedere construído por Inocêncio VIII. (...) Dezenas de artefatos foram acrescentados ao longo dos séculos, e as coleções acabaram sendo reorganizadas sob Bento XIV (1740–1758) e Clemente XIII (1758–1769). Eles fundaram os Museus da Biblioteca Apostólica: o Sagrado (Museo Sacro, 1756) e o Profano (Museo Profano, 1767). O Museu Cristão, composto por artigos encontrados em catacumbas que não poderiam ser mantidos *in situ*, foi fundado por Pio IX em 1854 no Palácio Laterano e removido para os Museus do Vaticano pelo papa João XXIII. O papa Pio XI inaugurou em 1932 (...) a Galeria de Arte do Vaticano (a Pinacoteca)."

Boa parte da coleção de tesouros do Vaticano está aberta ao público em seus inúmeros museus e dentro do Vaticano na forma de arte e esculturas. O mais famoso e popular é composto pelo teto da Capela Sistina, pintado por Michelangelo, e a escultura *Pietà*, mostrando a Virgem Maria segurando o corpo crucificado, na Capela da Pietà, no interior da basílica de São Pedro. Descrita pelo Vaticano como "talvez a escultura mais famosa do mundo com tema religioso", foi esculpida quando Michelangelo tinha vinte e quatro anos de idade e é a única que ele assinou.

"Com essa magnífica estátua, Michelangelo nos deu uma visão cristã e altamente espiritualizada do sofrimento humano", observou uma publicação do Vaticano. "Artistas anteriores e posteriores a Michelangelo sempre retrataram a Virgem com o Cristo morto nos braços como enlutada, quase à beira do desespero. Michelangelo, por outro lado, criou uma aura altamente tranquila. Enquanto segura no colo o corpo sem vida de Jesus, o rosto da Virgem

Moisés, de Michelangelo

emana doçura, serenidade e uma aceitação majestosa dessa imensa dor, combinada com sua fé no Redentor. É quase como se Jesus estivesse prestes a acordar de um sono brando, como se depois de todo sofrimento e espinhos, a rosa da ressurreição estivesse prestes a desabrochar."

Depois do Túmulo de São Pedro, a Capela da Pietà é o local mais visitado e silencioso de toda a basílica. A escultura é protegida por um vidro à prova de balas para evitar a repetição de um ataque perpetrado por um homem transtornado. Em 1972, o geólogo de trinta e três anos Laszlo Toth, húngaro de nascimento e de nacionalidade australiana, atacou a estátua com um martelo aos gritos de "Eu sou Jesus Cristo ressuscitado!" O braço esquerdo da Virgem ficou danificado, assim como o nariz, o olho esquerdo e o véu. O ataque foi o primeiro grande dano sofrido por uma obra de arte na basílica de São Pedro desde que um alemão quebrou dois dedos da estátua do papa Pio VI ajoelhado, em 1970.

Os Museus do Vaticano estão repletos de obras de Giotto, Caravaggio, Michelangelo, Leonardo da Vinci e Rafael, entre muitos outros. As bibliotecas do Vaticano guardam antigos manuscritos da Bíblia e de outras obras, em alguns casos o único exemplar de determinada obra. Os edifícios do Vaticano, especialmente a basílica de São Pedro, são adornados com ouro, prata, pedras preciosas e o mais fino mármore. "Para entender por que o papa tem essas coleções", explicou Maurizio de Luca, especialista do Vaticano encarregado de sua manutenção, "é preciso pensar no significado do papa e da Igreja ao longo dos séculos. Os papas e sua corte eram os maiores patronos da cultura em seu tempo. Este é o lugar onde os papas colocaram alguns dos maiores artistas para trabalhar, e isso se transformou em coleções."

Em 2001, "dois ex-funcionários do Vaticano foram acusados de envolvimento em fraudes de obras de arte. O monsenhor Michele Basso, ex-administrador do Capitólio de São Pedro, e o monsenhor Mario Giordana, ex-conselheiro da embaixada italiana no Vaticano, foram acusados de tentar vender obras de arte falsamente atribuídas a artistas como Michelangelo, Guercino e Giambologna a instituições como o Metropolitan Museum, em Nova Iorque, e a National Gallery, em Washington. (...) Os trabalhos mais notáveis eram um busto de mármore, o *Jovem São João Batista*, atribuído a Michelangelo, e um vaso grego antigo, atribuído a Eufrônio. Os funcionários teriam usado papéis impressos do Vaticano para autenticar as obras e aumentar seu valor.

Como o Vaticano é ao mesmo tempo uma cidade e um Estado (ambos na cidade de Roma), é administrado da mesma forma que os países, com uma prestação de contas de toda a sua riqueza; porém, também funciona como uma empresa multinacional. O escritor Karl Keating observou que o orçamento anual do Vaticano era mais ou menos igual ao da arquidiocese de Chicago. Uma parte dos fundos era usada para manter o próprio Vaticano e a outra parte destinava-se ao trabalho missionário da Igreja e outras obras ao redor do mundo.

"Imagino que poderíamos perguntar por que o Vaticano tem dificuldades para equilibrar um orçamento anual relativamente pequeno", escreveu Keating. "A riqueza da Igreja é composta quase que inteiramente de igrejas, hospitais, escolas e missões, mais as obras de arte. Você poderia vender as obras de arte, mas o produto da venda não alimentaria os pobres do mundo por um dia sequer.

"Se o Vaticano vendesse todas as suas obras de arte, receberia centenas de milhões de dólares — mas uma única vez. Elas desapareceriam, e o dinheiro não iria durar muito. (...) Os papas são guardiões, não donos. Eles têm a responsabilidade de preservar seus tesouros artísticos para a posteridade, não vendê-los para coleções particulares."

Calculou-se que "custa cerca de 250 milhões de dólares anuais para administrar o Vaticano. O dinheiro vem de (...) contribuições das conferências dos bispos, dioceses, ordens religiosas, doadores leigos e 'outras entidades'. Em 2004, esse total chegou a 89 milhões de dólares. Desse valor, cerca de 27,2 milhões vieram de dioceses individuais nos termos do Cânone 1.271 do Código da Lei Canônica, que obrigava as dioceses a contribuir financeiramente para manter a Santa Sé. Isso significa que 2.883 jurisdições eclesiásticas de todo o mundo deram uma média de 10 mil dólares cada uma em 2004. (...) As arquidioceses ricas deram muito mais, muitas dioceses menores deram pouco ou nada".

O Vaticano também acumula "ganhos com bens imóveis, cerca de trinta edifícios e 1,7 mil apartamentos de propriedade da Santa Sé que geraram uma renda de 64,5 milhões de dólares em 2004. Os ganhos também são provenientes de investimentos e outras atividades financeiras, com 80% da carteira do Vaticano em títulos e 20% em ações. Em 2004, o demonstrativo financeiro do Vaticano não forneceu um total geral", mas especialistas disseram que "os ganhos devem ter sido da ordem de 100 milhões de dólares. O demonstrativo sublinhou que isso representava um ganho de 21,5 milhões de dólares, atribuído à melhoria da situação dos mercados financeiros mundiais em 2004".

"Um relatório [de 2004] do Vaticano indicou que as contribuições para o óbolo de são Pedro, fundo de apoio às ações de caridade papais que não fazem parte do orçamento regular do Vaticano, totalizaram 52 milhões de dólares (...) uma queda de 7,4%."

O famoso escritor e sacerdote de Chicago padre Andrew Greeley escreveu: "Houve um tempo em que a Igreja foi realmente muito rica (e essa é outra história), mas a Reforma e a Revolução Francesa acabaram com isso. O catolicismo é pobre em propriedades. Qual é, por exemplo, o valor de reposição da basílica de São Pedro no Vaticano? Quem a compraria? Quanto rende anualmente? Na verdade, as velas votivas — sua única fonte de receita — mal pagam a manutenção. E o que alguém faria com ela se a comprasse, principalmente depois que descobrissem que era um chamariz de vendas? Construiriam condomínios? O que alguém faria com o museu do Vaticano? Talvez o governo italiano pudesse comprá-lo para fazer a última estação da linha de metrô de Roma. A dotação do Vaticano é inferior à de uma universidade católica norte-americana média. Sua existência financeira é precária. Exibe seu esplendor e suas cerimônias, mas a riqueza que pagava seu esplendor desapareceu há muito tempo e mal pode pagar pelas cerimônias".

"Os ativos do Vaticano sempre foram um segredo bem guardado, mas sempre um objeto de muita especulação. As estimativas vão de 1,5 bilhão a 15 bilhões de dólares e mais. Inclui as obras de arte e edifícios, que em sua maioria não podem ser vendidos. Grande parte dos ativos do Vaticano está em títulos e reservas de ouro. Ativos adicionais são formados por receita de aluguéis, venda de moedas, selos e suvenires." Como os palácios, residências reais, residências e propriedades históricas na Grã-Bretanha, o Vaticano tornou-se atração turística e arrecadador de dinheiro.

Especialistas financeiros observam que, apesar de sua riqueza, o orçamento do Vaticano tem mostrado um déficit de vários milhões de dólares desde 2001, mas seu débito é garantido pelos ativos. O maior deles inclui as propriedades do Vaticano, em Roma e suas cercanias, a residência de verão do papa em Castel Gandolfo, edifícios de escritórios, palácios e catedrais. A Cidade do Vaticano, com seus muros que remontam ao século XVI, conquistou sua independência em 1929, após a conclusão dos "*Pactos Lateranenses*" com a Itália. No dia 11 de fevereiro daquele ano, o papa Pio XI e Benito Mussolini criaram o Vaticano com suas dimensões atuais e garantiram edifícios e direitos de soberania adicionais.

Segundo Ivan Ruggiero, contador chefe da Santa Sé, o patrimônio imobiliário do Vaticano vale cerca de 1,21 bilhão de dólares, sem incluir seus tesouros de arte de valor inestimável. "O valor do patrimônio imobiliário foi calculado sem considerar seu real valor no mercado", disse Ruggiero. "E é claro que o grande patrimônio artístico da Santa Sé não foi considerado, uma vez que seu valor é inestimável e não comercial. (Por ser 'inestimável', o valor dos tesouros de arte foram relacionados como 'um euro'.)" A basílica de São Pedro é considerada "para além dos valores do mercado".

Em julho de 2008, a Associated Press informou que o Vaticano apresentou um déficit em 2007, o que a Santa Sé atribuiu ao "dólar fraco nas generosas cestas de doação dos fiéis norte-americanos", e custos elevados para o funcionamento dos órgãos de comunicação do Vaticano (um jornal e uma estação de rádio). "O Vaticano publicou valores financeiros mostrando um déficit de quase 13,5 milhões de dólares, citando a forte queda na cotação do dólar norte-americano. O Vaticano de Roma paga muitas das suas despesas em euros, moeda que subiu muito de valor em relação ao dólar norte-americano. O demonstrativo financeiro, publicado pela assessoria de imprensa da Santa Sé, mostrava uma receita de 371,97 milhões de dólares contra uma despesa de 386,27 milhões.

"O Vaticano disse que seus investimentos financeiros foram prejudicados 'principalmente pela inversão aguda nas taxas de câmbio, acima de tudo para o dólar norte-americano', e que os aluguéis e outras receitas de seu grande patrimônio imobiliário ajudaram as finanças. Os Museus do Vaticano, que incluem a Capela Sistina, uma das principais atrações turísticas, também ajudaram as finanças da Santa Sé.

"O óbolo de são Pedro, recolhido em todo o mundo anualmente, mostrou que os fiéis norte-americanos foram os mais generosos em termos absolutos da quantia doada, mais de 18,7 milhões de dólares.

"Nenhuma nação de católicos doa mais do que os norte-americanos. Um comitê consultivo de cardeais publicou em 2008 um relatório mostrando que os Estados Unidos foram a nação que mais contribuiu (19 milhões de dólares, ou 29% do total) para os gastos com caridade da Santa Sé em 2007, e ficaram em segundo lugar (depois da Alemanha) em contribuições para a própria Santa Sé."

Em 2007, o Vaticano decidiu "recompensar financeiramente os funcionários que estivessem fazendo um bom trabalho". "Disse que levaria em consideração 'dedicação, profissionalismo, produtividade e correção' para dar um aumento de salário. (...) Mais de 4 mil pessoas, de cardeais a faxineiros" trabalhavam para a Santa Sé no Vaticano. "O salário-base em uma vasta gama de funções ia de 1,1 mil euros (1.634 dólares) a 2,2 mil euros (3.268 dólares) mensais." Um levantamento recente mostrou a existência de 2.659 empregados, dos quais 744 eram padres, 351 homens e mulheres de ordens religiosas, e 1.564 leigos.

Quando perguntaram ao papa João XIII quantas pessoas trabalhavam no Vaticano, ele brincou: "Mais ou menos a metade".

Capítulo 4

SACERDOTES MALCOMPORTADOS

Papa João XXIII

Ao vasculhar os arquivos do Vaticano em 2003 em busca de casos em nome de vítimas norte-americanas de abuso sexual por padres católicos, um advogado texano encontrou um documento intitulado *De Modo Provedendi di Causis Crimine Soliciciones* (Sobre o Modo de Proceder em Casos de Crime de Aliciamento). Com a assinatura e o lacre do papa João XXIII, foi escrito em 1962 pelo cardeal Alfredo Ottaviani e distribuído aos clérigos de todo o mundo com uma ordem para que fosse mantido em segredo.

O documento de sessenta e nove páginas envolvia essencialmente qualquer sacerdote que induzisse alguém no ato da confissão sacramental "para assuntos impuros ou obscenos".

Os bispos que receberam a ordem foram instruídos a procurar esses casos "da maneira mais secreta possível". Todos os envolvidos, inclusive a suposta vítima, juravam "observar o mais rigoroso segredo, geralmente considerado um segredo do Santo Ofício", sob pena de excomunhão. O "pior crime" era definido como "qualquer ato obsceno externo, gravemente pecaminoso" realizado por um clérigo "com uma pessoa do seu próprio sexo". O documento era descrito como "estritamente confidencial" e não deveria ser publicado.

Sete séculos antes de o papa João XXIII autorizar que o Vaticano encobrisse o abuso sexual de meninos e jovens por parte de padres, são Tomás de Aquino (1225–1274) afirmou que "a razão correta declara que o fim dos atos sexuais é a procriação", e declarou que a homossexualidade era um dos mais graves dos *peccata contra naturam* ou "pecados contra a natureza". Mas escondidos nos arquivos do Vaticano estão registros de mau comportamento papal que incluíam o papa Clemente VII fazendo sexo com pajens, Bento IX envolvendo-se em bestialidades e orgias bissexuais, e Bonifácio VII sendo descrito como um "monstro" e um criminoso. Leão I era um sádico e torturador, Júlio III sodomizava garotos, Clemente VI frequentava prostitutas, Anacleto estuprava freiras, e Paulo II gostava de ver homens nus sendo colocados em gaiolas e torturados.

Os arquivos do Vaticano e registros da Igreja atestam o problema do mau comportamento sexual dos padres, a luta da Igreja para eliminá-lo, e exemplos de acobertamento. Uma semana após a eleição do papa, Bento XVI, em 2005, foi noticiado que em seu cargo anterior, como chefe da Congregação para a Doutrina da Fé, ele determinou que as investigações das reclamações de abuso sexual contra padres fossem realizadas em segredo. Isso foi alegado "em uma carta confidencial enviada a todos os bispos católicos em maio de 2001. Afirmava-se o direito da Igreja de manter os inquéritos a portas fechadas e manter a confidencialidade das evidências até dez anos após as vítimas alcançarem a maioridade. A carta foi assinada pelo cardeal Joseph Ratzinger (nome do papa antes de ser eleito sucessor de João Paulo II).

"Os advogados das vítimas alegaram que a carta visava evitar que as acusações se tornassem de conhecimento público ou que fossem investigadas pela polícia. Eles acusaram o cardeal Ratzinger de cometer 'clara obstrução da justiça'.

"A carta 'relativa a pecados muito graves' foi enviada da Congregação para a Doutrina da Fé, escritório do Vaticano que chegou a presidir a Inquisição. (...) Explicitava aos bispos a posição da Igreja a respeito de inúmeros assuntos, desde a celebração da Eucaristia com um não católico até o abuso sexual 'de um menor de 18 anos' por um clérigo. A carta de Ratzinger afirmava que a Igreja poderia alegar jurisdição nos casos em que o abuso tivesse sido 'perpetrado por um clérigo com um menor'. A carta afirmava ainda que a jurisdição da Igreja 'começa a correr a partir do dia em que o menor tenha completado o décimo oitavo ano de vida' e se estende por dez anos. Ordenava que 'investigações preliminares' sobre qualquer acusação de abuso deveria ser enviada ao escritório de Ratzinger, que tinha a opção de encaminhá-las de volta aos tribunais privados. (...)

"Casos desse tipo estão sujeitos ao segredo pontifício", concluía a carta de Ratzinger. A violação do segredo pontifício a qualquer momento enquanto a ordem da jurisdição de dez anos estivesse em vigor acarretaria penalidades, inclusive a ameaça de excomunhão.

"A carta foi mencionada em documentos relativos a uma ação movida naquele ano contra Ratzinger e uma igreja no Texas em nome de duas supostas vítimas de abuso. Ao enviar a carta, alegavam os advogados, o cardeal conspirou para obstruir a justiça. Daniel Shea, advogado das duas supostas vítimas que descobriu a carta, disse: 'E fala por si mesma. É uma obstrução da justiça'. (...)

"Shea criticou a ordem segundo a qual acusações de abuso deveriam ser investigadas apenas por tribunais secretos. 'Eles estão impondo procedimentos e segredo nesses casos. Se as agências encarregadas da aplicação da lei descobrirem o caso, podem lidar com ele. Mas você não pode investigar um caso se não souber da sua existência. Se você conseguir mantê-lo em segredo por dezoito anos mais dez, o padre vai fugir', acrescentou Shea."

Quando o papa Bento XVI fez sua primeira visita aos Estados Unidos em abril de 2008, disse aos repórteres que estavam em seu avião a caminho de Washington, D.C., que o abuso sexual de crianças "é um grande sofrimento para a Igreja nos Estados Unidos e para a Igreja em geral, e para mim pessoalmente". Ele disse: "Quando leio as histórias dessas vítimas, é difícil entender como foi possível que sacerdotes tenham traído desse jeito. A missão deles era dar a cura, dar o amor de Deus a essas crianças. Estamos profundamente envergonhados e faremos o que for possível para que isso não aconteça no futuro".

Fazendo uma distinção entre sacerdotes com tendências homossexuais e aqueles com inclinação para molestar crianças, o pontífice disse: "Eu não falaria neste momento sobre homossexualidade, mas sobre pedofilia, que é outra coisa. E nós certamente excluiríamos os pedófilos do ministério sagrado".

Afirmando que qualquer pessoa culpada de pedofilia "não pode ser um sacerdote", ele disse que funcionários da Igreja iriam visitar os seminários que formam os futuros sacerdotes para se certificar de que esses candidatos não têm tais tendências. "Faremos tudo o que for possível para ter um forte discernimento, porque é mais importante ter bons sacerdotes do que ter muitos sacerdotes", ele disse. "Esperamos ter feito, fazer e continuar fazendo no futuro, tudo o que for possível para curar essa ferida."

Os arquivos do Vaticano e os anais do cristianismo de quase 2 mil anos atrás contêm relatos da luta contra delitos sexuais. No ano 390 d.C., o imperador Valentiniano II foi fortemente influenciado por suas crenças cristãs ao decretar que os homens que cometessem sodomia "deveriam expiar um crime dessa natureza nas chamas vingadoras à vista do povo". Na Inglaterra do século VII, um livro que falava dos crimes sexuais cometidos por clérigos contra crianças, o *Penitential Bede*, sugeria que os clérigos que cometessem sodomia com crianças deveriam receber penalidades severas, dependendo do seu posto. Em 1179 d.C., um concílio da Igreja decretou que os clérigos que tivessem cometido "pecados contra a natureza" fossem confinados a um mosteiro para o resto da vida ou forçados a deixar a Igreja. No século XVI, o papa Pio IV emitiu o primeiro decreto papal condenando o abuso sexual por sacerdotes. Outra instrução importante da Igreja, *Sacramentum Poenitentiae*, emitida em 1º de junho de 1741 pelo papa Bento XIV, decretou que todas as tentativas dos padres de levar os fiéis a manterem relações sexuais fossem condenadas. Em 1917, foi promulgado um código canônico que condenava o abuso sexual. Nova legislação sobre o assunto foi promulgada em 1922.

Em 2003, quando se descobriu o édito secreto de 1962 do papa João XXIII, a agência de notícias do *The New York Times* informou: "A crise sobre abusos sexuais que vem engolindo a Igreja Católica Romana nos últimos doze meses espalhou-se por praticamente todas as dioceses norte-americanas e envolve mais de 1,2 mil padres, a maioria com carreiras que abrangem uma mistura de história da igreja e formação em seminários. Esses sacerdotes teriam abusado de mais de 4 mil menores nas últimas seis décadas de acordo com uma ampla pesquisa do *New York Times* com casos documentados de abuso sexual cometidos por padres até 31 de dezembro de 2002. A pesquisa, considerada a mais completa reunião de dados sobre o problema, contém nomes e histórias referentes a 1.205 padres acusados. Reuniu 4.268 pessoas que afirmavam publicamente ou por meio de ações judiciais terem sido abusadas por padres, embora os especialistas digam que certamente há muito mais pessoas que mantiveram silêncio. Os dados, porém, mostram que os padres violavam secretamente jovens vulneráveis muito antes de as primeiras vítimas processarem a Igreja e virem a público em 1984, na Louisiana. Alguns crimes datam da década de 1930".

Segundo um boletim de ocorrência do Departamento de Polícia de Los Angeles, BC307.934, arquivado em 17 de dezembro de 2003, de 1955 a 2002 pelo menos vinte e oito sacerdotes da arquidiocese de Los Angeles acusados ou condenados por abuso sexual "ocupavam as mais altas posições". A queixa registrada no boletim afirmava: "Sacerdotes ocupando boas posições, como os bispos Juan Arzube e G. Patrick Ziemann, usaram sua influência na administração da arquidiocese para encobrir outros sacerdotes. Sacerdotes envolvidos em educação, como Leland Boyer e Geral Fessard, usaram sua autoridade para ter acesso às vítimas e depois encaminhavam as crianças que molestavam para os seminários e o sacerdócio. Esses vinte e oito sacerdotes e provavelmente muitos outros ocupavam posições de bispos auxiliares, vigários paroquiais, vigários-gerais, reitores e professores em seminários locais e como recrutadores para seminários. A elevação de molestadores de crianças a essas posições ajuda a explicar por que tantos molestadores se tornaram sacerdotes, e como tantos seminaristas e sacerdotes se tornaram molestadores de crianças".

Jeffrey Anderson, advogado de Minnesota especializado em ações civis por abuso sexual, sabia da existência de mais de 300 queixas contra padres católicos em quarenta e três estados em 1991, tendo ele próprio tratado de oito casos. O repórter Jason Berry descobriu pelo menos cem acordos civis feitos pela Igreja Católica entre 1984 e 1990, totalizando entre 100 milhões e 300 milhões de dólares. O padre Thomas Doyle, advogado canônico da Igreja Católica Romana, calculou haver cerca de 3 mil sacerdotes molestadores de crianças (uma média de dezesseis padres pedófilos por diocese).

A. W. Richard Sipe, psicoterapeuta e ex-sacerdote em Baltimore, autor de *A Secret World: Sexuality and the Search for Celibacy*, fez um amplo estudo sobre a conduta sexual dos padres e afirmou: "A probabilidade de um padre católico nos Estados Unidos ser sexualmente ativo é de um em dois". Sipe estudou mil padres e 500 das suas "vítimas ou 'amantes'". Descobriu que "20% dos padres estavam envolvidos em relacionamentos sexuais com mulheres; 8% a 10% na 'exploração heterossexual'; 20% eram homossexuais, sendo metade deles ativos; 6% eram pedófilos, quase 4% deles visando meninos".

O escritório da revista *Freethought Today* em Madison, Wisconsin, informou que recebe de três a quatro recortes de jornais por semana de leitores comunicando uma nova acusação criminal ou civil contra um padre ou ministro protestante. A revista pesquisou os casos notificados nos Estados Unidos em 1988 e 1989 e descobriu 250 casos com acusações envolvendo padres, ministros ou funcionários ministeriais nos Estados Unidos e Canadá. Dos clérigos acusados, setenta eram padres católicos (39,5%) e onze eram ministros protestantes (58%).

Embora os padres representem aproximadamente 10% do clero norte-americano, compunham 40% dos acusados. Com resultados desconhecidos em cerca de um quinto dos casos, o estudo descobriu que "88% de todos os clérigos acusados foram condenados (81% dos padres foram condenados). (...) E a maioria dos casos não foi a julgamento. (...) Três quartos de todos os clérigos que alegaram inocência foram considerados culpados. Cerca de metade dos padres católicos que alegaram inocência foram condenados".

O estudo revelou que os padres católicos foram inocentados ou tiveram as acusações de abuso sexual infantil rejeitadas em proporção mais elevada do que os ministros protestantes. Da mesma forma, os padres católicos tiveram uma proporção mais elevada de sentenças suspensas quando condenados, e quando sentenciados passaram muito menos tempo na cadeia ou prisão.

Angela Bonavoglia, autora do livro *Good Catholic Girls: How Women Are Leading the Fight to Change the Church*, observou que muitos padres católicos em todo o mundo — México, América Latina, África e Estados Unidos — mantinham relações consensuais com mulheres. Muitos outros padres estavam envolvidos em relacionamentos consensuais com outros homens adultos. "É evidente que a crise da Igreja é muito maior do que a questão da pedofilia ou do abuso sexual de menores", ela escreveu. "Envolve crimes e criminosos, sexo e poder, sim. Mas trata-se fundamentalmente de hipocrisia. Ao proibir os padres de terem uma vida sexual madura, o que inclui compromisso, responsabilidade e respeito, e protegendo-os dos custos de suas façanhas sexuais, a Igreja na prática tem tolerado a liberdade sexual clerical para todos. O fato de o comportamento heterossexual e homossexual prosperarem no sacerdócio católico não reflete algo inerente à homossexualidade ou à heterossexualidade, mas é antes uma prova da hipocrisia e duplicidade de um sistema elitista, fechado, masculino, de uma sociedade secreta que tolera, na verdade exige, a mentira a respeito da vida sexual de qualquer um a qualquer custo."

Afirmando que o documento de 1962 do papa João XXIII continuou a vigorar até maio de 2001, os autores do livro *Sex, Priests and Secret Codes*, Thomas P. Doyle, A.W.R. Sipe e Patrick J. Wall, apresentaram um relato que chamaram de evidências escritas dos abusos sexuais de 2 mil anos da Igreja Católica. Escreveram que a carta era "significativa" porque refletia a insistência da Igreja "em manter o mais alto grau de sigilo".

Quarenta e seis anos depois de o papa João XXIII ter assinado *De Modo Provedendi di Causis Crimine Soliciciones* e prometer sigilo da Igreja a respeito do abuso sexual de menores pelo clero, o papa Bento XVI pediu desculpas às vítimas de abuso por padres e falou publicamente sobre o assunto durante sua viagem pelos Estados Unidos e Austrália. Para o público da Jornada Mundial da Juventude em Sydney, Austrália, ele declarou: "Esses malfeitos, que constituem grave quebra de confiança, merecem condenação inequívoca. Causaram grande sofrimento e prejudicaram o testemunho da Igreja. Peço a todos vocês que apoiem e ajudem seus bispos, e trabalhem junto com eles para combater esse mal. As vítimas devem receber cuidados e compaixão, e os responsáveis por essas maldades devem ser levados à Justiça. É uma prioridade urgente promover um ambiente mais seguro e sadio, especialmente para os jovens".

Capítulo 5

ASSASSINATO NAS ORDENS SAGRADAS

Papa João Paulo I

Os arquivos do Vaticano contêm provas de que o cargo de papa tem sido um dos mais arriscados da história. Ao longo dos séculos, muitos foram mortos ou assassinados. O primeiro foi o papa João VIII. Em 882, foi envenenado e depois espancado até a morte por conspiradores da corte papal. De acordo com o livro de Matthew Brunson, *The Pope Encyclopedia: An A to Z of the Holy See*, a maioria das mortes de pontífices ocorreu na Idade Média, especialmente no período descrito pelo cardeal Cesare Baronius nos *Annales Ecclesiastici* como "a Idade de Ferro do papado", de 867 a 964, quando famílias poderosas elegiam, depunham e assassinavam os papas por ambições políticas ou por vingança. Dos vinte e seis papas dessa época, dezesseis morreram violentamente.

O mais estrondoso dos assassinatos foi o de João XII (955–964). "Com apenas dezoito anos ao ser eleito pontífice, João era um notório mulherengo, e o palácio papal acabou por ser descrito como um bordel durante seu reinado. Ele morreu por causa dos ferimentos sofridos depois de ser descoberto na cama pelo marido de uma de suas amantes. Existem lendas que dizem que ele morreu por causa de um derrame sofrido durante o ato de amor."

Teorias e acusações de intrigas assassinas vieram à tona após a morte do papa Clemente XIV, em 1774. Ele "estaria tão atormentado pela culpa por ter extinguido a ordem dos jesuítas, que passou o último ano de vida com medo de ser envenenado". Depois da sua morte, surgiram tantas histórias sobre um possível assassinato que foi realizada uma autópsia, mas não se descobriu nada que incriminasse os jesuítas.

Aqui está uma lista de pontífices assassinados e a maneira como se acredita que tenham sido mortos, de acordo com *The Pope Encyclopedia*:

João VIII (872–882): supostamente envenenado e espancado até a morte.

Adriano III, são (884–885): teria sido envenenado.

Estevão VI (896–897): estrangulado.

Leão V (903): supostamente estrangulado.

João X (914–928): supostamente sufocado com um travesseiro.

Estevão VII (VIII) (928–931): provavelmente assassinado.

Estevão VII (IX) (939–942): mutilado, morreu por causa dos ferimentos.

João XII (955–964): morto na cama com uma amante pelo marido ultrajado ou devido a um derrame enquanto estava com a amante ou assassinado pelo marido enfurecido.

Bento VI (973–974): estrangulado por um sacerdote.

João XIV (983–984): morreu de fome , maus tratos ou foi envenenado.

Gregório V (996–999): teria sido envenenado.

Sérgio IV (1009–1012): provavelmente assassinado.

Clemente II (1046–1047): teria sido envenenado.

Damásio II (1048): teria sido assassinado.

Bonifácio VIII (1294–1303): morto após agressão enquanto prisioneiro na França.

A história mais bizarra é a do papa Estevão VII. Em "896, ele realizou o julgamento de seu rival, que estava morto havia nove meses". Segundo o escritor Mark Owen, em um artigo sobre notórios pontífices, o corpo do papa Formoso foi trazido do túmulo e colocado em um trono. Envolto com uma túnica de crina de cavalo, o cadáver recebeu um assessor jurídico, que permaneceu em silêncio enquanto o papa Estevão gritava e vociferava.

"O crime de Formoso", lembrou Owen, "foi ter coroado imperador um dos inúmeros herdeiros ilegítimos de Carlos Magno depois de já ter conferido o mesmo cargo a um candidato favorecido por Estevão.

"Após o discurso inflamado de Estevão, as vestes do cadáver foram arrancadas e seus dedos da mão direita amputados. Depois foi arrastado pelo palácio e jogado no rio Tibre. O corpo foi resgatado por simpatizantes de Formoso, que lhe deram uma sepultura digna. Alguns anos mais tarde, Estevão foi estrangulado.

"Em 964, o papa Bento V estuprou uma jovem e fugiu para Constantinopla com o tesouro papal, e só reapareceu quando o dinheiro acabou." Um historiador especializado em assuntos da Igreja chamou Bento de "o mais iníquo de todos os monstros na impiedade". Ele também foi "assassinado por um marido ciumento. Seu corpo, com centenas de ferimentos de punhal, foi arrastado pelas ruas antes de ser jogado em uma fossa. (...)

"Em outubro de 1032, a mitra papal foi comprada para Bento IX, então com onze anos.[2] Ao chegar ao décimo quarto aniversário, escreveu um cronista, Bento havia superado em devassidão e libertinagem todos os que o haviam precedido."

Segundo o historiador Peter de Rosa, no livro *Vicars of Christ*, os papas tinham amantes jovens, de até mesmo quinze anos, eram culpados de incesto e perversões de todos os tipos, tinham inúmeros filhos e "eram mortos durante o ato do adultério".

---

[2] Bento IX teria entre dezoito e vinte anos quando se tornou pontífice pela primeira vez, segundo a *Enciclopédia Católica*, que o chamou de "desgraça na Cadeira de Pedro". (N.T.)

O papa Alexandre VI (nascido Rodrigo Bórgia) reinou de 1492 a 1503. "Depois de assumir a mitra papal, gritou: 'Sou papa, vigário de Cristo!'. Como seu predecessor, Inocêncio VIII, teve vários filhos, batizou-os pessoalmente e oficiou o casamento deles no Vaticano. Teve dez filhos ilegítimos (incluindo os notórios César e Lucrécia Bórgia) com sua amante favorita, Vannoza Catanei.[3] Quando seu fascínio se desvaneceu, Bórgia envolveu-se com uma jovem de quinze anos, Giulia Farnese. Farnese obteve o galero vermelho de cardeal para seu irmão, que depois se tornaria Paulo III. Alexandre foi seguido por Júlio II, que comprou o papado com sua fortuna particular. (...) Mulherengo notório, foi tão consumido pela sífilis que não podia expor seu pé para que fosse beijado."

"O papa Sisto IV cobrava dos bordéis romanos um imposto para a Igreja. Segundo o historiador Will Durant, em 1490 havia 6,8 mil prostitutas registradas em Roma. O papa Pio II declarou que Roma era a única cidade governada por (...) filhos de papas e cardeais."

O papa Leão I (440-461) afirmou que "não importava quão imoral ou inepto fosse um papa, desde que fosse considerado legítimo sucessor de são Pedro". Não há uma lista oficial de papas, mas o *Annuario Pontificio*, publicado todos os anos pelo Vaticano, contém uma lista geralmente considerada a mais autorizada. Bento XVI é citado como o 265º papa de Roma.

O número 263, João Paulo I, foi nomeado em 26 de agosto de 1978. Primeiro pontífice a escolher dois nomes (em homenagem a seus predecessores, João XXIII e Paulo VI), nasceu Albino Luciani em 17 de outubro de 1912, em Forno di Canale (atual Canale d´Agordo), Itália. Ao contrário de seus predecessores, nunca ocupou um alto cargo no governo interno ou no corpo diplomático do Vaticano. Apesar de proeminente na Itália, era praticamente desconhecido no restante do mundo.

Ordenado em 7 de julho de 1935, "estudou na Universidade Gregoriana de Roma depois de um breve período como vigário na paróquia

---

[3] Segundo a *Enciclopédia Católica*, Alexandre VI teve quatro filhos com Vannoza Catanei: Juan, César, Lucrécia e Jofre, nascidos em 1474, 1476, 1480 e 1482. (N.T.)

de sua infância. Depois de ser indicado para um cargo de vice-diretor no seminário de Belluno, em 1937, passou vários anos ensinando; nesse período tornou-se vigário-geral para o bispo de Belluno. No final de 1958, o papa João XXIII nomeou Luciani como bispo de Vittorio Veneto, e após um início lento no Concílio Vaticano II (1962–1965) logo se tornou voz ativa em questões doutrinárias". Nomeado arcebispo de Veneza (1969) e cardeal em 1973, rejeitou muitos dos aspectos de maior opulência do catolicismo e encorajou as igrejas mais ricas a dar para as mais pobres.

Após sua eleição ao papado pelo Colégio de Cardeais, a revista *Time* afirmou: "Os cardeais sabiam o que queriam: um homem caloroso e humilde. Sentado a uma mesa diante do altar da Capela Sistina, o cardeal solenemente entoou o nome escrito em cada cédula. 'Luciani... Luciani... Luciani'. Ao lado dele sentaram-se outros dois cardeais escrutinadores, que retiravam as cédulas cuidadosamente de um cálice de prata, desdobravam-nas e as passavam para seu colega. Foi a quarta e última votação do incrível conclave de um dia que deu ao mundo católico seu 263º papa".

Tendo conseguido penetrar "o muro de segredos que se ergue em torno desses conclaves, e os votos de silêncio proferidos pelos cardeais ao entrarem e se isolarem do mundo exterior, os repórteres da revista *Time*, Jordan Bonfante e Roland Flamini, reuniram dados para reconstituir boa parte da história do processo transcorrido na Capela Sistina. Ficou claro que a eleição de Luciani não foi um acidente, mas resultado de um consenso que evoluiu a partir de três acordos alcançados em um longo período pré-conclave após a morte do papa Paulo VI em 6 de agosto de 1978.

"Provavelmente, metade dos 111 cardeais eleitores estavam indecisos ao iniciar-se o conclave. A maioria estava convencida de que o papa teria que ser italiano. (...)

"O segundo consenso, ao qual resistiram alguns membros da cúria até o final, era que a Igreja, independentemente de seus problemas políticos e administrativos, precisava de um papa pastoral. 'Uma coisa é interpretar a fé e outra é transmiti-la às pessoas nas paróquias', disse um alto prelado da cúria. 'Isso é algo que os bispos — qualquer que seja sua teologia — entendem melhor do que os membros da cúria em suas escrivaninhas'."

Outro cardeal disse: "Acho que antes do conclave todos nós concordávamos particularmente que precisávamos voltar a um homem humilde, pastoral, apesar de não termos consultado uns aos outros. E então, quando entramos, ficou claro para nós que era isso o que queríamos".

Um dos participantes disse que havia um consenso para que o novo papa "não fosse óbvio nem controverso".

Enquanto a votação não produzia nenhuma liderança óbvia entre os candidatos, Luciani era um homem "não ativamente detestado por ninguém, e ativamente querido por todos os que realmente o conheciam".

"Ao meio-dia", escreveram os repórteres da *Time*, "os dois conjuntos de cédulas, presos em uma grande agulha como se fosse um *kebab*, foram atirados ao forno da capela junto com uma mistura química enviando fumaça escura como sinal negativo para a multidão que aguardava na praça de São Pedro. Mas o sistema de exaustão acima do forno estava quebrado e a fumaça preta se espalhou pela capela, obscurecendo parcialmente os famosos afrescos de Michelangelo. Os cardeais ficaram tossindo por cerca de quinze minutos, cobrindo a boca e esfregando os olhos, até as janelas serem abertas para limpar o ar.

"Quando pararam para o almoço, enquanto os cardeais caminhavam até o Hall Pontifício na ala dos aposentos de Bórgia, travaram-se intensas discussões. Na terceira eleição, às 16h30 (...) Luciani tomou a dianteira, quase obtendo a maioria."

"Nesse momento", Luciani explicou depois com um sorriso que lhe valeria o apelido de "Papa Sorriso", a situação "começou a ficar perigosa para mim".

"Os cardeais Willebrands, dos Países Baixos, e Ribeiro, de Portugal, sentados ao seu lado, inclinaram-se em sua direção. Um sussurrou:

'Coragem. Se o Senhor dá o fardo, dá também a força para carregá-lo'. E sussurrou o outro: 'O mundo todo ora pelo novo papa'."

Na quarta votação, "nenhum outro nome foi lido além do de Luciani. Houve algumas cédulas em branco (...) Mas cerca de noventa votos foram para Luciani". Os aplausos ecoaram na capela. "A porta da capela foi aberta e oito auxiliares do conclave entraram para acompanhar Jean Cardinal Villot, o camerlengo da Igreja, até o aturdido Luciani, que ainda estava sentado em seu lugar sob um afresco do batismo de Cristo. O camerlengo, o rosto todo sorrisos, fez a pergunta ritual: 'Você aceita sua eleição canônica como Supremo Pontífice?'.

"Luciani respondeu primeiro: 'Que Deus os perdoe pelo que fizeram em relação a mim'. Depois deu seu consentimento: '*Accepto*'."

As cédulas queimadas e palha quimicamente tratada enviaram uma fumaça branca pela chaminé, sinalizando para a multidão na praça de São Pedro que a Igreja tinha um novo papa. Ele seria "Ioannes Paulus". A multidão foi informada do nome do novo papa: João Paulo.

"Depois de cantarem o 'Te Deum' de agradecimento, o pontífice foi escoltado até a sacristia para colocar suas vestes papais temporárias. Reapareceu de batina branca com uma capa nos ombros e uma longa faixa branca. Sorridente, ocupou o trono que havia sido erguido diante do altar e os cardeais contentes se aproximaram um a um para abraçá-lo e beijar o anel papal."

"Roma viu João Paulo pela primeira vez no dia seguinte, quando 200 mil pessoas ocuparam a praça de São Pedro para a bênção semanal do meio-dia de domingo. João Paulo falou por sete minutos. (...) Vamos 'nos entender uns aos outros', ele disse para a multidão. 'Não tenho a sabedoria do coração do papa João, nem o preparo e a cultura do papa Paulo. No entanto, agora estou no lugar deles e devo tentar ajudar a Igreja. Espero que me ajudem com suas orações.' (...)

"O novo papa, João Paulo, mostrou um pouco do seu estilo pessoal nos planos para as cerimônias de posse ao ar livre no dia 3 de setembro. Por recomendação sua, não foi chamada de 'coroação' ou 'entronização', mas de 'missa solene para marcar o início de seu ministério como Sumo Pontífice'. João Paulo pediu para não ser carregado na liteira, como era costume, e preferiu caminhar em procissão. O mais significativo, porém, foi o fato de não querer ser coroado com a tiara papal na forma de colmeia. Em vez disso, um pálio, a estola de lã branca simbolizando seu título de patriarca do Ocidente, seria colocado sobre seus ombros. (...)

"Em seu discurso inaugural aos cardeais, João Paulo jurou continuar a obra do Concílio Vaticano II, convocado pelo papa João XXIII em 1962 e concluído por Paulo VI em 1965. Iria 'priorizar' a revisão das leis do direito canônico, ele disse. Percebeu-se imediatamente que João Paulo pretendia dar 'um novo estilo ao papado, mais simples e menos formal do que muitos no Vaticano estavam habituados'. Seu primeiro discurso para o mundo, proferido na sacada da basílica de São Pedro, foi direto e pessoal. (...) Ele pediu que os católicos tivessem 'misericórdia com o pobre novo papa que não esperava chegar a esse posto'. Ele fez uma brincadeira dizendo que precisaria pegar o pesado livro do ano do Vaticano, o *Annuario Pontificio*, para estudar o funcionamento da cúria."

"O novo papa não fez segredo do fato de que se sentia intimidado pela estrutura da Igreja que deveria governar. (...) Em eventos públicos, procurou fazer ligações com os católicos comuns adotando uma maneira de pregar como se estivesse contando uma história e conferindo ao Vaticano uma atmosfera de paróquia. Explicou o conceito de livre-arbítrio com uma metáfora sobre a boa manutenção de um carro. Falou com simpatia daqueles que não conseguiam acreditar em Deus. Brincou, comparando o casamento a uma gaiola dourada. 'Aqueles que estão de fora morrem de vontade de entrar', ele disse, 'enquanto os que estão dentro morrem de vontade de sair'."

Ele chocou muitos católicos ao dizer que Deus "é um pai, mas é ainda mais uma mãe", pela maneira como Ele ama a humanidade. Citou o profeta Isaías, do Velho Testamento: "Pode uma mãe esquecer seu filho? Porém, mesmo que isso acontecesse, Deus jamais esqueceria seu povo".

Alguns comentaristas da Igreja viram seu "pontificado como uma época de graça e alegria", chamando-o de "Papa Sorriso". "Outros analistas disseram que a tarefa estava acima das possibilidades do papa João Paulo, um homem que foi esmagado pelo peso da sua nova posição." Os veteranos e tradicionalistas do Vaticano temiam que João Paulo fosse muito liberal e que pretendesse revolucionar as doutrinas da Igreja, incluindo a revisão de leis sobre a contracepção.

O cardeal Ratzinger via nele "grande bondade, simplicidade, humanidade e coragem".

Ruth Bertels escreveu um artigo dizendo que na noite de 28 de setembro de 1978, quando João Paulo "sentou para comer na sala de jantar do terceiro andar do Palácio Apostólico, seus dois secretários, padre Diego Lorenzi, que trabalhara com ele em Veneza por mais de dois anos, e o padre John Magee, que fora indicado logo após a eleição papal, estavam presentes. As freiras haviam preparado um jantar simples composto de sopa, vitela, vagens frescas e uma salada. Os três comeram enquanto assistiam ao noticiário na televisão". O papa parecia estar bem-humorado e com boa saúde.

"No andar de baixo, as luzes ainda estavam acesas no Banco do Vaticano, onde seu chefe, o bispo Paul Marcinkus, recebera recentemente um relatório sobre o papa, o Banco do Vaticano e os métodos de administração, incluindo a recente aquisição da Banca Cattolica." As informações estavam nas mãos de várias dioceses, mas a maior parte ficou com o Banco do Vaticano.

"Naquela noite, o cardeal Jean Villot, secretário de Estado do Vaticano, também estava trabalhando até aquela hora, estudando as mudanças que o papa lhe transmitira uma hora antes. Villot defendeu e argumentou, mas o papa se manteve inflexível. As mudanças deveriam ser feitas."

Em Buenos Aires, o banqueiro Roberto Calvi e dois sócios, Licio Gelli e Umberto Ortolani, sabiam que "o Banco da Itália vinha investigando secretamente o banco de Calvi em Milão desde abril, levado por uma campanha pública contra Calvi, iniciada em 1977, dando detalhes de atividades criminosas. (...)

"Em Nova Iorque, o banqueiro siciliano Michele Sindona vinha lutando contra os esforços do governo italiano para extraditá-lo para Milão para que enfrentasse as acusações envolvendo um desvio fraudulento de 225 milhões de dólares. Um juiz federal decidira pela extradição em maio. Em liberdade depois de pagar uma fiança de 3 milhões de dólares, Sindona exigira que o governo dos Estados Unidos provasse a existência de evidências fundamentadas que justificassem a extradição. A audiência estava marcada para novembro."

Em Chicago, o cardeal John Cody, chefe de uma arquidiocese "de 2,5 milhões, quase 3 mil padres, 450 paróquias e uma receita anual que ele se recusava a revelar", sabia que numerosas organizações haviam solicitado a Roma sua remoção.

O papa foi para a cama. A noite encobriu o Vaticano.

Na madrugada do dia 29 de setembro de 1978, a governanta do papa bateu na porta do quarto, como sempre fazia, exatamente às 4h30. Como não ouviu resposta, afastou-se. "Voltou quinze minutos depois e percebeu que não havia movimento." Ao entrar no quarto, "encontrou-o sentado na cama, ainda segurando os papéis da noite anterior". Morto.

"Na mesinha de cabeceira, um vidro aberto de Effortil, seu remédio para pressão baixa." A camareira, abalada e aos prantos, informou imediatamente o camareiro papal, o cardeal Villot. Villot chegou ao quarto do papa às 5 horas e pegou os papéis importantes, o vidro de Effortil e vários objetos pessoais que estavam sujos de vômito. Nenhum desses objetos foi visto novamente.

"O Vaticano afirmou que o médico da casa havia apontado um infarto do miocárdio como causa da morte. Embora a lei italiana determine um período de vinte e quatro horas até que o corpo possa ser embalsamado, o cardeal Villot tomou providências para que o corpo de Albino Luciani estivesse preparado para o funeral doze horas após a sua morte. Ainda que o Vaticano tenha se recusado a permitir uma autópsia com base na (...) lei canônica, a imprensa italiana verificou que uma autópsia havia sido feita" no papa Pio VIII em 1830.

A primeira informação pública dizia que "o Santo Padre foi encontrado morto pela irmã Vincenzia e não pelo seu secretário. (...) Um relato informava que estava morto no banheiro, outro dizia que estava junto à sua escrivaninha no quarto". Havia discrepâncias também sobre a hora da morte, embora a estimativa oficial fosse a de que ele havia morrido às 23 horas do dia 28 de setembro.

"Outro relatório dizia que João Paulo havia se queixado durante o dia de um mal-estar, mas não chamou um médico. Dizia que ele sentira uma dor e tossira bastante naquela tarde." Foi relatado que "após o jantar ele correu pelo corredor para atender uma chamada telefônica às 21h15".

Isso teria provocado um ataque cardíaco fatal? Ou teria sido envenenado?

Alguns dos que acreditavam que ele havia sido assassinado afirmaram que o motivo era o medo de que o líder espiritual dos católicos romanos estivesse iniciando uma revolução. Ele queria dar à Igreja uma nova direção, considerada indesejável e perigosa por muitos dos membros do alto escalão.

Em 1984, no livro intitulado *Em nome de Deus — uma investigação em torno do assassinato de João Paulo I*, o autor britânico David Yallop sustentou que o assassinato do pontífice foi ordenado por um ou mais de seus suspeitos; "todos eles tinham muito a temer caso o papado de João Paulo I continuasse". Entre os que tinham razões para preocupar-se estavam vários membros de uma loja maçônica italiana clandestina chamada Propaganda Due, ou P2. Fundada em 1877, em Turim, como "Propaganda Massônica", tinha entre seus membros políticos e funcionários de governo de toda a Itália. "O nome foi mudado para Propaganda Due após a Segunda Guerra Mundial, quando o Grande Oriente numerou suas lojas." Embora a Igreja tenha proibido os católicos de se filiarem à Maçonaria, a P2 estendeu seu alcance na Santa Sé com a "Grande Loja do Vaticano". Em setembro de 1978, havia entre seus membros cardeais, bispos, muitos prelados do alto escalão e leigos.

O grão-mestre era Licio Gelli. Financista, foi o "oficial de ligação" de Mussolini com os nazistas e organizador de uma rota de fuga para a Argentina evitando que fossem presos como criminosos de guerra; aliado do ditador argentino Juan Perón, no pós-Segunda Guerra Mundial foi informante da inteligência norte-americana e dos comunistas italianos; também atuou para o estabelecimento de um governo de direita na Itália.

Segundo Yallop, o assassinato de João Paulo foi decidido devido à sua determinação de purgar o problemático Banco do Vaticano e limpar a Igreja de seus laços com a P2.

"O homem que foi rapidamente rotulado de 'Papa Sorriso'," escreveu Yallop, "pretendia arrancar o sorriso de muitos rostos no dia seguinte."

Yallop citou Villot, que havia descoberto que seria substituído no cargo de secretário de Estado do Vaticano e que estava consternado porque João Paulo pensava em afrouxar a proibição da Igreja sobre o controle artificial da natalidade; Marcinkus, chefe do Banco do Vaticano, que teria marcada sua remoção imediata; Roberto Calvi, presidente do Banco Ambrosiano, que enfrentaria a ruína se as suas trapaças com os fundos do Vaticano fossem descobertas; Sindona, que sabia de suposta lavagem de dinheiro da máfia feita pelo Banco do Vaticano; Gelli; e o cardeal John Cody, de Chicago, que teria sido avisado de que seria convidado a demitir-se.

Segundo Yallop, o papa foi envenenado, provavelmente por alguém que adulterou um vidro do remédio para pressão baixa, chamado Effortil, que João Paulo mantinha em sua mesa de cabeceira. Yallop escreveu que as inconsistências nos informes do Vaticano a respeito da morte papal e da falta de uma autópsia indicavam um acobertamento.

"Era perfeitamente claro", ele escreveu, "que em 28 de setembro de 1978, esses seis homens — Marcinkus, Villot, Calvi, Sindona, Cody e

Gelli — tinham muito a temer se o papado de João Paulo I continuasse. É igualmente claro que todos eles ganhariam de várias maneiras se o papa João Paulo I morresse de repente."

Os teóricos da conspiração rapidamente encontraram uma previsão do assassinato de João Paulo nos escritos do profeta Nostradamus:

> Aquele que foi eleito papa será ridicularizado por seus eleitores,
> Essa pessoa prudente e empreendedora será subitamente reduzida ao silêncio,
> Decidem matá-lo por causa de sua grande bondade e moderação.
> Tomados pelo medo, o levarão à morte durante a noite.

Tudo o que se podia dizer com certeza era que João Paulo havia sido papa por trinta e três dias.

ACONTECIMENTOS APÓS A MORTE DE JOÃO PAULO:

Outubro de 1978: eleição do cardeal polonês Karol Wojtyla para o papado. Ele assume o nome de João Paulo II em homenagem ao papa morto. Nenhuma das instruções ou os decretos de João Paulo I foram colocados em prática.

21 de janeiro de 1979: o juiz Emillio Alessandrini, magistrado que investigava as atividades do Banco Ambrosiano, é assassinado.

20 de março de 1979: Nino Pecorelli, jornalista investigativo que expusera o nome de membros e os negócios do grupo maçônico P2, é assassinado.

11 de julho de 1979: Giorgio Ambrosoli, depois de testemunhar a respeito de Sindona e Calvi nos círculos dos negócios do Vaticano, é assassinado.

13 de julho de 1979: o tenente-coronel Antonio Varisco, chefe do serviço de segurança de Roma, é assassinado. Varisco também estava investigando as atividades da P2; tinha conversado com Giorgio Ambrosoli dois dias antes da morte de Ambrosoli.

2 de fevereiro de 1980: o Vaticano desfaz um acordo para fornecer depoimentos em videoteipe para o julgamento de Sindona nos Estados Unidos pelas acusações de fraude, conspiração e apropriação indébita de fundos ligados à falência do Franklin National Bank.

13 de maio de 1980: tentativa de suicídio de Sindona.

8 de julho de 1980: Roberto Calvi, preso também por fraude, tenta o suicídio.

1º de setembro de 1981: o Banco do Vaticano reconhece seus interesses como controlador de uma série de bancos comandados por Calvi — com débitos superiores a 1 bilhão de dólares.

12 de janeiro de 1982: os acionistas do Banco Ambrosiano enviam uma carta a João Paulo II expondo as ligações entre o Banco do Vaticano e Roberto Calvi, a P2 e a máfia. A carta jamais foi reconhecida.

27 de abril de 1982: tentativa de assassinato de Roberto Rosone, gerente-geral do Banco Ambrosiano. Rosone estaria tentando limpar as operações do banco.

2 de outubro de 1982: Giuseppe Dellacha, executivo do Banco Ambrosiano, morre depois de cair de uma das janelas do banco.

23 de março de 1986: Michele Sindona morre por envenenamento na prisão italiana onde estava preso por ter sido o mandante da morte de Giorgio Ambrosoli.

O mais sensacional desses acontecimentos ocorreu em 17 de junho de 1982. Nessa data, Roberto Calvi foi encontrado pendurado pelo pescoço em uma ponte de Londres.

Capítulo 6

O MISTÉRIO DO BANQUEIRO DO PAPA

Roberto Calvi

No dia 21 de junho de 1982, um carteiro a caminho do trabalho em Londres olhou pelo "parapeito da ponte Blackfriars e reparou em uma corda de náilon laranja presa à coluna de um andaime sob a ponte". Pendurado pela corda estava o corpo de um homem, "vestido com seu sobretudo, um relógio Patek Philippe caríssimo no pulso, sapatos da mesma marca. (...) Na carteira havia cerca de 10 mil libras esterlinas, francos suíços e liras italianas. Nos bolsos e na bainha da calça pedras e tijolos que a polícia acreditava terem vindo de uma construção próxima dali.

"A presença do dinheiro e do relógio pareciam afastar um assassinato seguido de assalto. Ao mesmo tempo, o legista não encontrou marcas no corpo de Calvi indicando que tivesse sido alvo de violência antes de morrer, nenhuma marca de seringa sugerindo que tivesse sido drogado, e nenhuma droga em seu organismo além de vestígios de uma pílula para dormir que ele tinha tomado na noite anterior." Um júri declarou o veredito: suicídio.

Como essa decisão não fazia sentido para a viúva e os filhos de Calvi, "eles questionaram a investigação. Foi realizada outra investigação em Londres em 1983 (...) que considerou impossível determinar se Calvi havia se matado ou se tinha sido assassinado. Mas Carlo Calvi, único filho do banqueiro, que estava fazendo um doutorado na Universidade de Georgetown, em Washington, quando seu pai morreu, não desistiu. (...) Em 1989 contratou uma empresa de investigadores particulares para dar continuidade à investigação da polícia de Londres.

"A Kroll Associates localizou as colunas do andaime onde Calvi estava pendurado, remontou-as exatamente como estavam sob a ponte Blackfriars e então fizeram uma reconstituição com um dublê de Calvi, com o mesmo peso e altura, fazendo todo o percurso que Calvi teria feito se realmente tivesse acabado com a própria vida com aquela corda laranja.

"Os detetives não estavam interessados nos fatores que já haviam convencido Carlo Calvi de que seu pai não poderia ter se matado daquela maneira. Roberto Calvi tinha sessenta e dois anos quando morreu, estava acima do peso e sofria de vertigem. Em meio à total escuridão, ele precisaria ter avistado o andaime embaixo da ponte, praticamente submerso com a maré alta, encher os bolsos e a bainha da calça com pedras e tijolos, subir em um parapeito de pedra e descer uma escada vertical de 3,5 metros, e depois descer 2,5 metros pela borda do andaime. Depois teria que se abaixar cautelosamente até outra coluna do andaime antes de colocar o pescoço no chão e atirar-se, porque as duas investigações observaram que o pescoço sofreu poucos danos, indicando que não caiu de uma grande altura."

A Kroll Associates não "estava interessada no que era provável", observou o *Independent*, de Londres, em um artigo sobre o caso, "apenas no que era inevitável". "Eles colocaram o dublê de Calvi usando o mesmo tipo de sapato que o banqueiro usava quando morreu, depois refizeram seu caminho pelo andaime por várias vias possíveis: depois os sapatos ficaram mergulhados na água pelo mesmo tempo que os de Calvi.

"Cada vez que o teste era feito, um exame microscópico dos sapatos feito por um químico forense revelava vestígios da tinta amarela que cobria as colunas do andaime. Como os sapatos que Calvi estava usando quando morreu não tinham esses resíduos, a Kroll concluiu que 'outra pessoa teria que tê-lo amarrado ao andaime e o matara'.

"Como resultado da longa campanha de Carlo Calvi para limpar o nome de seu pai da desonra do suicídio, em setembro de 2003 a polícia da cidade de Londres reabriu o caso como investigação de assassinato. O detetive superintendente Trevor Smith afirmou: 'Estamos usando técnicas investigativas e criminalísticas do século XXI para um crime cometido há vinte e um anos'."

A investigação do assassinato levaria a polícia, o público em geral e os católicos à manifestação moderna da religião de 2 mil anos simbolizada pelo Vaticano e, ao mesmo tempo, desvendaria a misteriosa vida da vítima.

Homem frio, tímido e teimoso das montanhas ao norte de Milão, Roberto Calvi fora um dos banqueiros mais brilhantes da Itália. Subiu rapidamente na hierarquia do Banco Ambrosiano, que havia sido fundado por um padre e havia muito tempo tinha relações estreitas com o Banco do Vaticano, o Istituto per le Opere di Religione.

"Apesar de todo o brilhantismo", escreveram os jornalistas Peter Popham, Philip Willan e Robert Verkaik para o *Annotico Report* em junho de 2007, "Calvi acabou em sérios apuros. Além da estreita cooperação com os banqueiros do Vaticano, também pactuou com a máfia siciliana, estabelecendo uma rede de empresas *offshore* que possibilitava a lavagem de todo o rendimento com o tráfico de heroína."

Calvi era "membro da P2, a loja maçônica secreta à qual eram filiados centenas de políticos, homens de negócios, agentes do serviço secreto, policiais, servidores civis" e altos funcionários do Vaticano que o papa João Paulo I estava determinado a afastar da Santa Sé.

A Igreja Católica Romana e a Maçonaria encontravam-se em desacordo havia muito tempo. O primeiro ataque público por escrito contra os maçons foi feito em 28 de abril de 1738 pelo papa Clemente XII, em seu decreto *In eminenti*. "As principais objeções à Maçonaria eram: o fato de ser aberta a homens de todas as religiões; o fato de exigir juramentos; o fato de negar a autoridade clerical; e o fato de se reunirem secretamente." Clemente proibiu que os católicos se tornassem membros da Maçonaria e ordenou que "Inquisidores da Depravação Herética tomassem medidas contra os católicos que se tornassem maçons ou que ajudassem a Maçonaria de qualquer maneira". Declarou que a excomunhão seria o castigo para aqueles que desafiassem sua ordem.

Em um discurso do papa Pio IX, *Multiplices inter*, de 25 de setembro de 1865, o pontífice reiterou a condenação da Maçonaria e outras sociedades secretas. Acusou as associações maçônicas de conspiração contra a Igreja, Deus e a sociedade. Atribuiu revoluções e revoltas às atividades maçônicas e denunciou os votos secretos e as reuniões clandestinas da Maçonaria.

No dia 15 de fevereiro de 1882, a encíclica *Etsi nos* de Leão XIII fez referência a uma "seita perniciosa" em guerra com Jesus Cristo. Dois anos depois, em *Humanum genus* (20 de abril de 1884), o mais cruel ataque à Maçonaria feito em um pronunciamento papal, declarou: "A seita maçônica produz frutos perniciosos e de sabor amargo". Continuava dizendo que "o objetivo da Maçonaria era a destruição da Igreja Católica Romana e que a Maçonaria e a Igreja Católica Romana eram adversárias". Afirmava ainda que "muitos maçons não tinham consciência dos objetivos finais da Maçonaria e não deveriam ser considerados parceiros nos atos criminosos perpetrados pela Maçonaria. Também condenava o naturalismo da Maçonaria, pelo qual se acreditava que "a natureza humana e a razão humana deveriam ser amante e guia em todas as coisas". Albert Pike, líder maçônico norte-americano, afirmou que essa encíclica era "uma declaração de guerra e sinalizava uma cruzada contra os direitos do homem".

No Código de Direito Canônico de 1917, a Igreja incorporou a postura de muitas encíclicas papais anteriores em lei ordinária. No Cânone 2.335 do Código de 1917, a Igreja sustentava que "aqueles que aderissem à seita maçônica, ou outras sociedades do mesmo tipo, que conspiravam contra a Igreja", sofreriam a excomunhão.

No dia 26 de novembro de 1983, mesmo ano em que a Igreja adotou um novo Código de Direito Canônico, a Congregação para a Doutrina da Fé afirmou que "a posição negativa da Igreja em relação às associações maçônicas (...) continuava inalterada, uma vez que os princípios sempre foram considerados irreconciliáveis com a Igreja". Afirmava que "os católicos envolvidos com as associações maçônicas estão cometendo pecado grave e não podem receber a sagrada comunhão".

Em 1978, o grupo maçônico P2 "havia se tornado uma espécie de Estado dentro do Estado italiano, manipulando os rumos do país a partir de uma posição de extrema-direita, exercendo influência profunda, mas não detectada, na tomada de decisões do governo. O Vaticano, a máfia, a P2: três mundos muito diferentes unidos pelo fato de que a Itália foi, durante toda a Guerra Fria, um jogador importante da linha de frente das relações Leste-Oeste, e possuía o maior partido comunista da Europa ocidental".

"Segundo uma das teorias mais convincentes a respeito do caso Calvi", observaram Peter Popham, Philip Willan e Robert Verkaik, "o banqueiro milanês tornou-se peça fundamental não apenas na lavagem de dinheiro da máfia, mas também na canalização secreta de grandes somas de dinheiro do Vaticano para a luta do sindicato polonês Solidariedade contra o governo comunista da Polônia."

"Desde a ascensão do cardeal polonês Karol Wojtyla ao papado em 1978, a ajuda ao Solidariedade se transformara em questão de vital importância para o Vaticano." Como sucessor de são Pedro, que havia sido crucificado pela tirania do Império Romano, o papa João Paulo II transformou em cruzada pessoal a quebra do controle tirânico da União Soviética sobre sua terra natal, mostrando que o sindicato Solidariedade tinha o apoio do papa.

Perguntaram certa vez ao ditador soviético Josef Stalin se ele estava preocupado com o que poderia dizer o papa Pio XII a respeito das agressões do Exército Vermelho. Stalin respondeu cinicamente: "Quantas divisões tem o papa?"

João Paulo II pretendia mostrar ao sucessor de Stalin que não precisava de soldados. Suas armas eram as palavras — e dinheiro.

"Fundado em 1942 para investir e aumentar os fundos dados à Santa Sé para obras religiosas, o I.O.R. — Istituto per le Opere di Religione —, mais conhecido como Banco do Vaticano", era igual a qualquer outro banco comercial internacional. Situado na "torre medieval de Sisto V, (...) aceitava depósitos em poupança e conta corrente, transferência de fundos para dentro e para fora do Vaticano, e fazia investimentos. Os depositantes precisavam ter algum tipo de ligação com o Vaticano. A lista de pessoas aceitáveis incluía membros da cúria (o papa tinha uma conta pessoal, nº 16/16), os 729 moradores permanentes da Cidade do Vaticano, e um pequeno grupo de clérigos e leigos que faziam negócios regularmente com o Vaticano". Como observou a revista *Time*: "Ninguém mais precisa se candidatar".

Lavando dinheiro através da América Latina, principalmente no Panamá, para fornecer milhões ao movimento Solidariedade, o Vaticano também ajudou a Agência de Inteligência Central a enviar dinheiro para grupos anticomunistas, como os Contras na Nicarágua. O principal canal do Vaticano era o Banco Ambrosiano, maior banco privado da Itália. Seu presidente, Roberto Calvi, misturava o dinheiro de seus cofres e do I.O.R.

Conhecido como banqueiro de Deus, Calvi "era um dos homens que sabia muito sobre muita coisa", observaram Popham, Willan e Verkaik. Durante anos Calvi "cuidou dos negócios dos clientes mais díspares com faro, recompensando-os com gordas taxas de juros, administrando os fundos ilegais de partidos políticos, bancando o intermediário em negócios secretos de armas, e lavando os lucros da máfia". Fundamental para o sucesso desses negócios era sua rede de empresas de fachada no exterior.

"Um homem que mais tarde se gabou de ter ensinado a Calvi tudo o que ele sabia sobre os paraísos fiscais, o financista siciliano Michele Sindona foi imprudente de uma maneira que Calvi jamais fora. Os dois se tornaram cada vez mais intimamente ligados por favores financeiros secretos — mas quando o Franklin National Bank of New York, banco norte-americano controlado por Sindona, foi à falência em 1974, Calvi se recusou a ajudar Sindona como ele acreditava que merecia. Ele começou a pressionar Calvi, pressão que logo produziu publicidade negativa para Calvi, levando o Banco da Itália a enviar seus inspetores.

Em 1978 o Banco da Itália havia concluído que o Banco Ambrosiano de Calvi havia exportado vários bilhões de liras ilegalmente, iniciando uma investigação criminal. Subitamente, o Banco Ambrosiano entrou em colapso, e teve início o pesadelo de Roberto Calvi. No dia 20 de maio de 1981, a polícia tocou a campainha da casa de Calvi ao amanhecer para anunciar que o banqueiro estava preso. Na prisão, ele tentou o suicídio.

"Condenado por violação de leis cambiais, Calvi recebeu uma pena suspensa de quatro anos. Mas seus problemas estavam apenas começando." Descobriu-se que o banco "tinha uma dívida de centenas de milhões de dólares. Com medo de ser preso novamente, temendo também que os mafiosos para quem devia centenas de milhões se vingassem, ele decidiu fugir. Acompanhado por (...) Flavio Carboni, *playboy* e incorporador de imóveis, e Silvano Vittor, contrabandista de Trieste que fazia as vezes de guarda-costas, ele saiu da Itália usando uma identidade falsa; foi de barco até a Iugoslávia, de lá foi para a Áustria e daí em um avião particular para a Inglaterra. Em Londres, hospedou-se em um hotel barato, o Chelsea Cloisters, e permaneceu incomunicável".

Investigações posteriores mostraram que Calvi "foi atraído para Londres, onde foi entregue a (...) integrantes do crime organizado italiano. Carboni, homem de negócios da Sardenha com ligações com o primeiro-ministro italiano Silvio Berlusconi; Pippo Calo, chefe da máfia preso; o ex-contrabandista Vittor; e o agiota romano Ernesto Diotallevi conspiraram para matar Calvi (...) para puni-lo por ter perdido dinheiro que pertencia à Cosa Nostra e para evitar que ele chantageasse ex-cúmplices no Vaticano, na loja maçônica P2 e nos partidos políticos italianos. Segundo um informante da máfia, Calo contratou um assassino chamado Francesco di Carlo para executar o crime (...), o vira-casaca da máfia, Antonino Giuffre (...) acusou Carboni de fazer o papel de traidor em uma conspiração de assassinato típica da máfia: primeiro, conquistando a confiança de Calvi e depois entregando-o para ser executado. (...) Calo, contador da máfia, acusado de mandante do assassinato para punir Calvi pelo desfalque nos fundos da Cosa Nostra", disse depois que "ele jamais teria procurado os homens responsáveis (...) por estrangular Calvi se soubesse que pertenciam a organizações rivais ou tivessem sido banidos da Cosa Nostra". No julgamento, o juiz ordenou que os quatro acusados fossem absolvidos por falta de provas.

Antes que os assassinos da máfia chegassem até Roberto Calvi, o banqueiro de Deus colocou o valor do Banco do Vaticano acima de 10 bilhões de dólares. Em maio de 1981, a polícia italiana invadiu a casa do grão-mestre da P2, Licio Gelli, e encontrou uma lista com nomes de maçons da P2 que incluía cinquenta e dois membros do governo italiano. Investigadores rastreando transações feitas por empresas fantasmas e contas bancárias na Suíça abertas por Calvi seguiram o fluxo do dinheiro até a P2 e descobriram que o movimento Solidariedade recebera mais de 100 milhões de dólares.

A ajuda do papa João Paulo II aos anticomunistas poloneses, que foi muito além de palavras e apoio moral, não passou despercebida no Kremlin.

Capítulo 7

DA RÚSSIA COM MALÍCIA

Papa João Paulo II

Uma biografia do papa João Paulo II feita pelo Vaticano observou que ele nasceu na cidade polonesa de Wadowice no dia 18 de maio de 1920, sendo o mais novo dos três filhos de Karol Wojtyla e Emilia Kaczorowska. Foi batizado no dia 20 de junho de 1920 na igreja da paróquia, "fez sua primeira comunhão aos nove anos e foi confirmado aos 18. Depois de se formar no Colégio Marcin Wadowita, em Wadowice, matriculou-se em 1938 na Universidade Jaguelônica, de Cracóvia, e em uma escola de teatro".

"A ocupação nazista obrigou o fechamento da universidade em 1939; ele teve que trabalhar em uma pedreira (1940–1944) e também na empresa química Solvay para ganhar a vida e evitar a deportação para a Alemanha. (...) Consciente de sua vocação para o sacerdócio, começou a fazer cursos no seminário clandestino de Cracóvia, administrado pelo cardeal Adam Stefan Sapieha, arcebispo da cidade. Ao mesmo tempo, Karol Wojtyla foi um dos pioneiros do Rhapsodic Theater."

"Após a Segunda Guerra Mundial, continuou seus estudos no seminário de Cracóvia, assim que foi reaberto, e na faculdade de teologia da Universidade Jaguelônica. Foi ordenado padre pelo arcebispo Sapieha em Cracóvia no dia 1º de novembro de 1946. Logo depois o cardeal Sapieha o enviou a Roma, onde trabalhou sob a orientação de um dominicano francês. Ele concluiu seu doutorado em teologia em 1948 com uma tese a respeito do tema da fé nas obras de são João da Cruz (*Doctrina de fide apud Sanctum Ioannem a Cruce*). Nessa época, durante suas férias, exerceu o ministério pastoral entre imigrantes poloneses da França, Bélgica e Holanda. (...)

"Em 1948 voltou para a Polônia, onde foi vigário de várias paróquias em Cracóvia e também capelão de estudantes universitários até 1951, quando retomou seus estudos de filosofia e teologia. Em 1953 defendeu uma tese sobre a 'avaliação da possibilidade de fundar uma ética católica sobre o sistema ético de Max Scheler' na Universidade Católica de Lublin. Depois tornou-se professor de teologia moral e ética social no maior seminário de Cracóvia e na Faculdade de Teologia de Lublin.

"No dia 4 de julho de 1958, foi nomeado bispo titular de Ombi e bispo auxiliar de Cracóvia pelo papa Pio XII, e consagrado em 28 de setembro de 1958 na catedral Wawel, Cracóvia. No dia 13 de janeiro de 1964, foi nomeado arcebispo da cidade pelo papa Paulo VI, que o tornou cardeal em 26 de junho de 1967", com o título de San Cesareo in Palatio da ordem dos diáconos, mais tarde elevado à ordem dos sacerdotes.

"Além de participar do Concílio Vaticano II (1962–1965), para o qual deu uma importante contribuição na elaboração da constituição pastoral *Constitution Gaudium e spes*, o cardeal Wojtyla participou de todas as assembleias do Sínodo dos Bispos." Foi eleito papa pelos cardeais no Conclave de 16 de outubro de 1978 e adotou o nome de João Paulo II. No dia 22 de outubro inaugurou solenemente seu ministério petrino como o 264º papa (o 263º sucessor de Pedro). "Aos cinquenta e oito anos, foi o papa mais jovem do século XX" e o primeiro papa não italiano desde o século XV. Trouxe para o Vaticano uma ardente oposição ao comunismo e o fervor pela libertação da Polônia.

"Quando João Paulo II colocou os pés em sua terra natal, no aeroporto militar de Okecie, ajoelhou-se e beijou o chão. Foi recebido pelo odiado chefe do Estado polonês, Henryk Jablonski, e pelo cardeal primaz da Polônia, Stefan Wyszynski. O papa foi levado a Varsóvia em um carro aberto e recebido por 2 milhões de pessoas gritando 'Longa vida ao nosso papa'. Ao adentrar a praça da Vitória para uma missa ao ar livre, foi saudado por mais 250 mil pessoas. Muitas choraram quando ele caminhou até o altar e ficou em pé de braços abertos diante de uma cruz de nove metros coberta de vermelho."

Durante uma troca de discursos com Jablonski, os joelhos do comunista polonês tremeram. João Paulo II disse que sua visita era motivada por razões estritamente religiosas, mas salientou que esperava que sua visita ajudasse "a unidade interna de meus compatriotas e também o desenvolvimento favorável das relações entre o Estado e a Igreja em minha amada terra natal".

Ele disse à multidão, e ao mundo que o assistia pela televisão: "Beijei o solo da Polônia onde cresci, a terra de onde, pelo inescrutável desígnio da providência, Deus me chamou para a cadeira de Pedro em Roma, terra de onde venho hoje como peregrino".

Assistindo ao espetáculo pela televisão em Moscou, funcionários sorridentes do serviço de espionagem da União Soviética, a KGB, ouviram o papa dizer: "Não é possível entender a história da nação polonesa sem Cristo".

Os homens do quartel-general da KGB entenderam a ameaça.

Ela se materializou em agosto de 1980, quando os trabalhadores poloneses desafiaram as autoridades comunistas entrando em greve no estaleiro Lênin na cidade portuária de Gdansk. "Enfeitados com flores, bandeiras polonesas brancas e vermelhas e fotos de João Paulo II", dizia um relato na imprensa internacional, "os portões de ferro da fábrica passaram a simbolizar essa mistura inebriante de esperança, fé e patriotismo que sustentava os trabalhadores em sua vigília".

"Em setembro de 1981", o líder da greve dos trabalhadores do estaleiro, Lech Walesa, "foi eleito presidente do Primeiro Congresso

Nacional do Solidariedade em Gdansk. Enquanto o mundo observava e se perguntava se os tanques soviéticos colocariam um fim em tudo aquilo, Walesa e seus companheiros de greve se mantinham firmes. Como soldados antes da batalha, confessaram-se com padres e comungaram no estaleiro. Para reduzir o risco de violência, Walesa pediu que o álcool fosse proibido e que fosse observada uma disciplina rígida. (...)

"A equipe do governo finalmente decidiu atender a quase todas as exigências dos trabalhadores. Além do direito de greve e de formar sindicatos, o regime de Varsóvia (...) reduziu a censura do Estado e ampliou o acesso às redes de comunicação pelos sindicatos e a Igreja. Em uma cerimônia transmitida nacionalmente pela televisão, em que grevistas e representantes do governo ficaram lado a lado e cantaram o hino nacional polonês, Walesa assinou o que se tornou conhecido como Acordo de Gdansk usando uma enorme caneta com uma imagem de João Paulo II."

Em janeiro de 1981, a KGB viu Walesa sendo recebido pelo papa João Paulo II no Vaticano. Ajoelhando-se, "Walesa beijou o anel papal e por um breve momento resistiu aos esforços do papa para colocá-lo de pé. O líder sindical teve então uma rara entrevista privada com o papa, que durou meia hora". Quando voltaram, o papa disse: "Quero lhe garantir que em suas dificuldades estive com você de modo especial, acima de tudo por meio das preces". Ele declarou que o direito de formar associações livres era "um dos direitos humanos fundamentais".

Na Polônia, "enquanto os trabalhadores corriam para se filiar a sindicatos locais formados apressadamente por todo o país, Walesa e outros ex-líderes da greve rapidamente encabeçaram uma federação de trabalhadores que rapidamente alcançou 10 milhões de membros — um quarto da população polonesa. (...) Walesa insistiu para que o Solidariedade fosse apenas um movimento trabalhista, e não de oposição política. No dia em que chegou a um edifício em Gdansk para inaugurar a primeira sede do Solidariedade, com um crucifixo de madeira embaixo do braço e um buquê de flores na mão, ele disse a um grupo de repórteres: 'Não estou interessado em política, sou um sindicalista. Meu trabalho agora é organizar o sindicato'". Os homens da KGB que entendiam de revoluções pensavam de outro modo.

"O país logo foi varrido por uma onda de greves por questões locais. Em alguns casos, as sedes do Solidariedade foram assumindo a burocracia do Partido Comunista exigindo o afastamento de funcionários locais corruptos ou a transformação de edifícios do partido em hospitais públicos. (...) Como as lideranças da militância estavam ameaçando fugir ao controle de Walesa, ele pediu: 'Devemos nos concentrar nas questões básicas. O país está em chamas'."

"Enquanto isso, o Kremlin observava a situação com ansiedade crescente. A existência do Solidariedade era incompatível com o monopólio do poder exercido pelo Partido Comunista. (...) Ainda mais importante, o movimento pela democracia dentro do partido polonês desafiava a doutrina leninista de disciplina partidária centralizada. A crise econômica que assolava a Polônia também exercia grande pressão sobre todo o bloco soviético. (...) A 'doença polonesa', como diziam os homens do Kremlin, poderia infectar outros (...) países (...) e ameaçar o futuro do império soviético."

Em um artigo sobre a visita de João Paulo II a Nova Iorque, em 1979, a revista *Time* observou: "O pontífice está emergindo como o tipo de líder incandescente que o mundo tanto deseja — que consegue fazer com que as pessoas sintam que foram tiradas da monotonia de suas próprias vidas e que mostra a elas que são capazes de emoções melhores, de ações melhores do que pensavam ser capazes".

O pontífice fisicamente vigoroso era "um homem para todas as estações, todas as situações, todos os tipos de fé, um *superstar* enganosamente modesto da Igreja. O filósofo profissional leu para os diplomatas das Nações Unidas um sermão intelectual fundamentado na importância dos direitos humanos e da liberdade — oferecendo como contraste a lembrança medonha de Auschwitz em sua terra natal". O "atleta dos esportes ao ar livre" manteve uma programação que "teria impressionado muitos homens com bem menos do que os seus cinquenta e nove anos, e ele parecia impermeável às chuvas pesadas que caíram sobre as carreatas em Boston e em Manhattan". O homem que fora ator antes de entrar para o sacerdócio "exibiu um comando seguro com sorrisos, gestos e piscadelas, e capitalizou o forte sotaque polonês para provocar aplausos ao expressar sua admiração pelos arranha-céus de Manhattan. (...)

"O pastor humanitário regozijou-se com a alegria de seu rebanho", dizia o artigo da *Time*, "e se tornou um deles. As crianças eram suas favoritas e ele as erguia com facilidade com seus braços musculosos. Quando um jovem monsenhor do Harlem se ajoelhou para lhe beijar o anel, João Paulo levantou-o e beijou-o em ambas as faces."

Billy Graham comentou: "Ele é o líder religioso mais respeitado no mundo atualmente". O presidente Carter recebeu João Paulo II com uma cerimônia no gramado da Casa Branca em uma tarde de sábado dizendo: "Deus abençoou a América enviando-o a nós".

Para os homens de olhos frios dos escritórios da KGB em Moscou, João Paulo II não era um enviado de Deus que residia em um palácio com paredes, corredores e aposentos ricamente decorados com obras de arte dos maiores artistas do mundo, mas um criador de casos com um escritório no Vaticano e que tinha fortes vínculos, mas secretos, com os serviços de inteligência norte-americanos. Os homens da KGB observaram que, ao assumir a presidência, Ronald Reagan escolheu para chefe da CIA um católico romano e membro da Ordem Militar Soberana de Malta (oficialmente Ordem Soberana, Militar e Hospitalar de São João de Jerusalém, de Rodes e de Malta).

Fundada em 1080 d.C. pelos cruzados, os Cavaleiros de Malta "sempre foram o braço armado do Vaticano, formando um Estado separado com plenos poderes de soberania, incluindo a emissão de seus passaportes diplomáticos". Dizia-se que em décadas mais recentes, a Ordem de Malta atuava como canal de financiamento, lavagem de dinheiro para a CIA e a inteligência do Vaticano.

"O título de Cavaleiro de Malta foi concedido a muitos indivíduos importantes que faziam parte das comunidades de inteligência e militar."

William Casey foi indicado como diretor da CIA por Ronald Reagan. Outros cavaleiros de Malta da administração Reagan foram o ex-general da Otan e depois secretário de Estado Alexander Haig e o conselheiro presidencial general Vernon Walters, ex-vice-diretor da CIA sob George H. W. Bush e depois embaixador itinerante.

As relações entre a comunidade de inteligência norte-americana, o Vaticano e a Ordem de Malta começaram quando o lendário chefe da OSS (Office of Strategic Services, precursor da CIA) na Segunda Guerra Mundial foi sagrado cavaleiro pelo papa Pio XII. William 'Wild' Bill Donovan foi sagrado cavaleiro junto com seu compatriota e depois chefe de contrainteligência da CIA James Jesus Angleton. "Donovan foi levado às pressas para um aposento todo decorado na Cidade do Vaticano para uma audiência com o papa Pio XII" e condecorado com a Grande Cruz da Ordem de São Silvestre. Título papal mais antigo e de maior prestígio, esse prêmio raramente concedido "era dado aos homens que 'por façanhas com armas ou escritos ou feitos marcantes tenham espalhado a fé e salvaguardado e defendido a Igreja'".

Donovan foi considerado merecedor por causa dos serviços prestados à hierarquia católica na Segunda Guerra Mundial. "Em 1941, um ano antes da criação oficial da OSS, Donovan forjou uma aliança com o padre Felix Morlion, fundador de um serviço de inteligência católica europeu conhecido como Pro Deo. Quando os alemães invadiram a Europa ocidental, Donovan ajudou Morlion a transferir sua base de operações de Lisboa para Nova Iorque. A partir daí a Pro Deo foi financiada por Donovan, que acreditava que assim acabaria obtendo informações sobre os negócios secretos do Vaticano" e teria uma janela para as atividades do governo fascista de Benito Mussolini. "Quando os aliados libertaram Roma em 1944, Morlion reestabeleceu uma rede de espionagem no Vaticano."

"Durante séculos o Vaticano foi um dos principais alvos da espionagem internacional. Um dos maiores repositórios mundiais de inteligência bruta era uma mina de ouro para os espiões. Informações eclesiásticas, políticas e econômicas eram filtradas por milhares de padres, bispos e núncios papais do escritório da Secretaria Papal. Era uma fonte de inteligência tão rica, que depois da guerra a CIA criou uma unidade especial em sua seção de contrainteligência para penetrá-la e acompanhar os acontecimentos dentro do Vaticano. (...)

"Dizia-se que desde a Segunda Guerra Mundial, a CIA subsidiava uma organização católica leiga que servira como braço político do papa e do Vaticano durante a Guerra Fria; penetrara na seção norte-americana de uma das ordens mais ricas e mais poderosas do Vaticano (Cavaleiros de Malta); passara dinheiro para um grande número de padres e bispos — alguns dos quais se tornaram agentes voluntários da CIA em operações secretas. Usou operações secretas para pressionar membros da cúria e espionar os clérigos liberais da equipe do papa que desafiava os pressupostos políticos dos Estados Unidos; preparou relatórios de inteligência que previram com exatidão o surgimento da teologia da libertação." A CIA também colaborou com grupos católicos para combater as ações de clérigos esquerdistas na América Latina.

"Em fevereiro de 1981, apenas um ano após sua visita triunfal aos Estados Unidos, o papa João Paulo II planejava fazer uma parada de três horas em Anchorage, Alasca, durante o retorno para casa após uma importante viagem pastoral às Filipinas, Japão e Guam. Quando a Casa Branca obteve essa informação, membros do Conselho de Segurança Nacional recomendaram que Reagan 'estabelecesse uma relação pessoal com o papa enquanto lhe dava novamente as boas-vindas ao solo norte-americano'. No dia 5 de fevereiro, James M. Rentschler, membro do CSN norte-americano, sugeriu que fosse montada uma 'missão Esquimó Nanuque' durante a estadia do papa.

"Assim, quando João Paulo pousou em Anchorage no dia 25 de fevereiro, o enviado designado para o Vaticano, William Wilson, entregou-lhe uma carta de Reagan, dizendo: '(...) Espero que não hesite em usar Wilson como intermediário para questões delicadas que o senhor ou seus assessores desejem tratar comigo'."

Três meses depois, o papa João Paulo II estava sendo conduzido lentamente pela praça de São Pedro em carro aberto para cumprimentar milhares de pessoas que se aglomeravam na Cidade do Vaticano para vê-lo e receber sua bênção. No dia 13 de maio de 1981, vestido com uma batina papal branca, estava cumprimentando as pessoas e erguendo crianças pequenas nos braços. Quando chegava a um ponto perto dos portões de bronze do Vaticano, houve uma rajada de tiros.

"Com uma das mãos cobrindo o rosto e com sangue manchando suas roupas", informou o *New York Times*, "o papa titubeou e caiu nos braços de seu secretário polonês, o reverendo Stanislaw Dziwisz, e seu criado pessoal, Angelo Gugel, que estavam no veículo com ele. (...)

"Levado às pressas por uma ambulância para o Hospital Gemelli, a cerca de três quilômetros ao norte de Roma, (...) João Paulo estava consciente ao ser levado para a sala de cirurgia. (...)

"O atirador havia disparado quatro tiros. Dois turistas, um norte-americano e um jamaicano, ficaram feridos com duas das balas. O homem armado com uma Browning automática de nove milímetros foi derrubado por transeuntes, que tiraram a pistola de sua mão. Ele foi preso, levado por um carro de polícia e depois identificado como Mehmet Ali Agca, de vinte e três anos. Segundo a polícia, ele teria dito: 'Minha vida não é importante'.

"Ele teria chegado à Itália no sábado anterior, no aeroporto de Milão, e na segunda-feira estava em Roma. A polícia informou que o atirador tinha nos bolsos vários bilhetes escritos à mão em turco; um deles dizia: 'Estou matando o papa em protesto contra o imperialismo da União Soviética e dos Estados Unidos e contra o genocídio que estão fazendo em El Salvador e no Afeganistão'.

"A agência de notícias turca Anatolia informou que Agca havia sido condenado pelo assassinato de Abdi Ipekci, editor do jornal turco

Milliyet, em fevereiro de 1979, mas fugira da prisão no final daquele ano. Segundo a Anatolia, ele havia escrito uma carta para o jornal no dia 26 de novembro de 1979 dizendo que fugira da prisão com a intenção de matar o papa, que deveria visitar Ancara e Istambul. (...)

"O Vaticano anunciou que o papa (...) havia sofrido múltiplas lesões no abdômen e uma grande hemorragia, e recebera uma transfusão de quase três litros de sangue. O Vaticano informou também que ele havia sido ferido no antebraço direito e no segundo dedo da mão esquerda."

Alguns órgãos de imprensa deduziram que o atentado foi obra de terroristas turcos conhecidos como Lobos Cinzentos, grupo neonazista formado por extremistas islâmicos e ex-militares. Depois, as autoridades que investigavam o ataque declararam que havia sido dirigido pelo serviço secreto búlgaro, "agindo a mando da União Soviética. Essa acusação dependia da confissão secreta de Agca. (...) Ao ser levado de uma delegacia de Roma, Agca surpreendeu os repórteres implicando os soviéticos publicamente na conspiração. Ele disse: 'A KGB organizou tudo'".

"Em um encontro caótico do lado de fora da delegacia, o turco magro, com a barba por fazer, falando um inglês capenga e um italiano idem, alegou que tivera formação de terrorista 'na Bulgária e na Síria'. As autoridades italianas acreditavam que ele tivesse sido ajudado na tentativa de assassinato por três búlgaros: dois ex-funcionários da embaixada da Bulgária em Roma e Sergei Ivanov Antonov, gerente da companhia de aviação búlgara em Roma. 'Estaria Antonov envolvido?', perguntaram os jornalistas enquanto Agca entrava no carro da polícia. 'Conheci Sergei', Agca respondeu. 'Ele foi meu cúmplice.'

'E a KGB?' 'Sim, a KGB'."

Em 1981, "Claire Sterling, jornalista premiada e escritora, tinha acabado de publicar *The Terror Network* quando Ali Agca tentou matar o papa. (...) A srta. Sterling reparou prontamente na conexão búlgara quando foi divulgado que Agca fizera várias viagens para Sófia, Bulgária, e se hospedou em um hotel frequentado pela KGB búlgara.

Em Roma, ele também tinha contatos com um agente búlgaro cuja fachada era o escritório da companhia aérea búlgara".

"*The Time of the Assassin*, publicado em 1983, foi um exame mais profundo da conspiração para matar o papa João Paulo II e a investigação subsequente. Ela não tinha dúvida de que a origem do complô estava na praça Dzerzhinsky, nº 2, sede da KGB em Moscou. A KGB encarregara os búlgaros dessa *super-wet operation*[4]. (...) Os búlgaros por sua vez procuraram encobrir a ação usando um grupo extremista turco envolvido com a KGB em lucrativas rotas de tráfico de drogas através da Bulgária até a Europa ocidental."

O presidente Reagan e o diretor da CIA, William Casey, decidiram minimizar a ligação soviética. Reagan havia sobrevivido a uma tentativa de assassinato em março de 1981, quando deixava o hotel Hilton, de Washington. Ele e Casey temiam que a insinuação de envolvimento dos soviéticos na conspiração para matar o papa pudesse comprometer as relações EUA–União Soviética; além disso, os teóricos da conspiração iriam concluir rapidamente que a KGB também estivera envolvida no atentado a Reagan.

Pouco depois de sair do hospital, João Paulo visitou Agca na prisão. Condenado a dezenove anos, Agca foi solto antes e enviado de volta à Turquia para enfrentar o julgamento pelo assassinato cometido anteriormente. O pontífice depois diria a amigos, em duas ocasiões, que também estava satisfeito com o fato de a mão por trás do atentado estar em Moscou.

Durante seu julgamento, "Ali Agca fingiu estar louco declarando que havia agido a mando de Deus. Depois declarou que era o novo messias e que havia conspirado com os prelados do Vaticano que o reconheciam como uma divindade. Psiquiatras italianos concluíram que ele havia sido instruído a se fazer de tolo para esconder as pistas que levavam à Bulgária e a Moscou.

---

4 No jargão das narrativas de espionagem, *wet operation* quer dizer assassinato, com derramamento de sangue — "operação molhada", literalmente. (N.T.)

"O magistrado italiano encarregado da investigação, Ferdinando Imposimato, disse à rádio italiana: 'Acredito que Agca disse muitas verdades, mas depois tentou torpedear o julgamento após ter sido ameaçado dentro da prisão por um agente búlgaro que se infiltrou para garantir que ele retirasse suas alegações'".

Depois, "o *Corriere della Sera*, jornal diário mais influente da Itália, revelou novos documentos encontrados nos arquivos dos antigos serviços de inteligência da ex-Alemanha Oriental que confirmaram que a conspiração para o assassinato de 1981 foi orquestrada pela KGB soviética, que depois encarregou o serviço satélite búlgaro. Metodi Andreev, ex-oficial encarregado dos arquivos da KGB búlgara, teria dito que havia visto correspondências entre a Stasi, o serviço de inteligência da Alemanha Oriental, e os agentes búlgaros. Entre elas estava uma ordem da KGB para eliminar todos os obstáculos para enterrar todas as ligações da Bulgária com a conspiração". A Bulgária passou então a execução da conspiração para extremistas turcos, incluindo Mehmet Ali Agca, que puxou o gatilho. No sexagésimo primeiro aniversário do papa (22 de maio de 1981), Reagan enviou a Roma o congressista Peter Rodino com uma carta pessoal para João Paulo, que ainda estava hospitalizado após o atentado contra sua vida. Tendo sofrido também uma tentativa de assassinato com um tiro no peito em 30 de março, Reagan escreveu: "As qualidades que o senhor exemplifica continuam a ser um bem precioso quando enfrentamos os perigos crescentes do momento".

"Entre 12 e 13 de dezembro de 1981, o governo comunista da Polônia prendeu milhares de ativistas do Solidariedade. Nas semanas seguintes a Casa Branca e o Vaticano trocaram inúmeras consultas a respeito dos acontecimentos na Polônia por telefone, telégrafo e por intermédio de representantes diplomáticos. (...)

"Os Estados Unidos não permitirão que a União Soviética dite o futuro da Polônia impunemente", Reagan escreveu ao papa em 20 de dezembro de 1981. "Estou anunciando hoje medidas adicionais que visam impor aos russos um aumento no custo da contínua violência contra a Polônia."

"Uma semana depois", o embaixador Wilson recebeu uma carta de João Paulo II para Reagan "prometendo apoio às sanções norte-americanas. Apesar da sua preocupação com o impacto das sanções sobre o povo polonês, João Paulo afirmou que estaria ao lado de Reagan, mesmo que não pudesse dizer isso publicamente".

Um telegrama enviado a Haig dizia: "O Vaticano reconhece que os EUA são uma grande potência com responsabilidades mundiais. Os Estados Unidos devem trabalhar no plano político, e a Santa Sé não se pronuncia a respeito das posições políticas tomadas pelos governos. Cabe a cada governo decidir suas diretrizes políticas. A Santa Sé por sua vez trabalha no plano moral, mas tanto a Santa Sé como os Estados Unidos têm o mesmo objetivo: a restauração da liberdade na Polônia".

Em 7 de junho de 1982, o presidente Reagan chegou ao Vaticano para encontrar-se com João Paulo. O jornalista e escritor Carl Bernstein escreveu: "Foi a primeira vez que os dois se encontraram, e conversaram por cinquenta minutos. Na mesma ala dos apartamentos papais, o cardeal Agostino Casaroli e o arcebispo Achille Silvestrini se encontraram com o secretário de Estado Alexander Haig e o juiz William Clark, assessor de Segurança Nacional de Reagan".

Nesse encontro na biblioteca particular do papa, Reagan e João Paulo II concordaram em fazer uma campanha secreta pela dissolução do império comunista.

Richard Allen, primeiro-assessor de Segurança Nacional de Reagan, disse: "Essa foi uma das maiores alianças secretas de todos os tempos".

Segundo auxiliares que compartilhavam da visão de mundo de seus líderes, observou Bernstein, Reagan e João Paulo II "se recusavam a aceitar um fato político fundamental de sua época — a divisão da Europa como determinado em Yalta, a Conferência de 1945, e a dominação comunista na Europa oriental. Uma Polônia livre. (...) seria como uma adaga no coração do império soviético". Se a Polônia se tornasse democrática, outros estados do Leste Europeu a seguiriam. Esse encontro secreto no Vaticano cimentou as bases para uma guerra total com o comunismo soviético, com os Estados Unidos e a Santa Sé como aliados.

Em 10 de janeiro de 1984, a administração Reagan estabeleceu relações diplomáticas completas com o Vaticano, encerrando mais de um século de separação oficial, mas sempre com encontros secretos, entre a Casa Branca e o Vaticano.

A história registrou que a amizade entre o papa e o presidente, que Richard Allen chamou de "uma das maiores alianças secretas de todos os tempos", selada com um aperto de mãos no Vaticano, resultou na libertação da Polônia, na queda da Cortina de Ferro, na dissolução da União Soviética, no fim do comunismo na Europa e da Guerra Fria.

Capítulo 8

OPUS DEI: O CULTO DO PAPA

São Josemaría Escrivá,
fundador do Opus Dei

A grande maioria dos norte-americanos e muitos, se não a maioria, dos católicos romanos nos Estados Unidos jamais ouviram falar da Opus Dei antes da publicação do livro de Dan Brown, *O Código Da Vinci*, ou antes do lançamento do filme baseado no livro. Essas obras sensacionalistas introduziram a Opus Dei na forma de um sacerdote albino que comete um assassinato no Museu do Louvre, em Paris.

No auge do fenômeno *O Código Da Vinci*, a revista *Time* observou que o livro mostrava a Opus Dei como "uma poderosa e ultraconservadora facção do catolicismo romano cheia de rituais sadomasoquistas. (...) Em seus setenta e oito anos, a Opus Dei foi sempre uma fonte de boatos. Organização secreta e bem-sucedida, foi acusada de usar muita riqueza" e influência no Vaticano "para fazer tudo, desde sustentar a ditadura de Francisco Franco na Espanha até forçar" a rápida beatificação de seu fundador em 1992, apenas dezessete anos após sua morte.

Declarada "prelazia pessoal" pelo papa João Paulo II em 1982, a Opus Dei, literalmente "Obra de Deus", foi chamada de "quase diocese mundial, capaz em alguns casos de passar por cima de arcebispos locais e tratar diretamente com o papa em Roma".

A Opus Dei se declara instituição católica com a missão de espalhar "a mensagem de que o trabalho e as circunstâncias da vida cotidiana são ocasiões para uma maior aproximação de Deus para servir os outros e melhorar a sociedade".

Os críticos dizem que é um culto religioso perigoso, senão malévolo.

Onde está a verdade?

No dia 2 de outubro de 1928, na Espanha, aos vinte e seis anos de idade, Josemaría Escrivá imaginou "um movimento de leigos piedosos que, por meio da contemplação devota e da dedicação constante ao seu trabalho em Cristo, estenderia a santidade da ida à missa aos domingos à vida cotidiana. (...) Ele viu a Opus agindo como 'uma injeção intravenosa de santidade na corrente sanguínea da sociedade'".

Na esteira da publicação de *O Código Da Vinci* e da descrição da Opus Dei como um grupo sinistro e malévolo no romance, a revista *Time* informou: "A Opus Dei não é uma espécie de escolha espiritual para católicos casuais. Possui um conjunto pouco numeroso de membros comprometidos (85,5 mil em todo o mundo, dos quais 1,9 mil são sacerdotes), muitos dos quais vêm de famílias pias e são preparados para abraçar ensinamentos impopulares da Igreja, tais como a proibição do controle da natalidade. Seus membros participam de um rigoroso curso de 'formação' espiritual que reforça a contemplação e a doutrina da Igreja além da filosofia de trabalho e santidade pessoal de Escrivá". A Opus Dei afirma que ajuda as pessoas a "buscarem santidade em seu trabalho e atividades do dia a dia".

Segundo o *website* da Opus Dei, qualquer católico leigo de ambos os sexos pode solicitar sua filiação desde que tenha pelo menos dezoito anos. O processo demora cerca de cinco anos, com o compromisso de ter que ser renovado a cada ano, antes que a filiação por toda a vida seja possível. A Opus Dei tem sido descrita como "um forte defensor dos valores católicos tradicionais, enfocando a propagação do ensinamento católico segundo o qual todo indivíduo é chamado a se tornar um santo e um apóstolo de Jesus Cristo, e a via comum é um caminho para a santidade. (...)

"Existem três tipos de membros na Opus Dei: numerários, adscritos e supernumerários. Os numerários constituem cerca de 30% dos membros e vivem normalmente nos centros da Opus Dei. São celibatários e praticam a mortificação corporal", prática que envolve o sofrimento físico autoimpingido. "Alguns dos membros celibatários da Opus Dei praticam penitências tradicionais, como o uso do cilício (uma pequena corrente de metal leve, com pontas, que se coloca ao redor da coxa) e as disciplinas (tiras de algodão trançado). A motivação para essas penitências voluntárias é o desejo de imitar Cristo, juntar-se a Ele em Seu sacrifício redentor, e sofrer em solidariedade com os pobres e destituídos de todo o mundo." A maioria dos membros da Opus Dei é de supernumerários, geralmente homens e mulheres casados. Eles representam cerca de 70% dos membros.

Em 1982 o papa João Paulo II fez da Opus Dei a única "prelazia pessoal" da Igreja Católica. Isso significava que os membros da Opus Dei tinham responsabilidade apenas perante Roma e Deus, e não em relação aos bispos locais. A Opus Dei diz que "essa posição única não significa de maneira nenhuma que seus membros tenham consideração especialmente elevada por parte do Vaticano ou que recebam tratamento especial". A prelazia pessoal é um termo canônico que significa que a jurisdição da Igreja Católica sobre a Opus Dei cobre os membros da Opus Dei em vez de uma área geográfica, como a de uma diocese. Uma prelazia pessoal funciona de maneira parecida com a de uma ordem religiosa, porém não tem limites geográficos, e seus membros são leigos em vez de monges e freiras.

"Os católicos que pertencem à Opus Dei também continuam a integrar a congregação de sua igreja local. Ao contrário dos membros das ordens religiosas, os membros da Opus Dei se filiam por meio de contratos particulares e não de votos. Para se filiar, precisam fazer uma solicitação, e também devem estar convencidos de que têm uma vocação. (...) Os membros têm que doar uma parte considerável da sua renda para a Opus Dei, que é uma organização descentralizada e não divulga sua contabilidade geral." Seus críticos também a descrevem como uma espécie de maçonaria católica, acusando-a de ser secreta e manipuladora. A Opus Dei tem uma série de cumprimentos especiais: "*Pax*" e "*In aeternum*" ("Paz" e "Na eternidade"). Sua constituição de 1950 proibia os membros de revelarem sua filiação sem a permissão do diretor do seu centro. Em 1982, um novo documento repudiou o "sigilo ou atividade clandestina". Ainda assim, a Opus Dei não identificou seus membros, e muitos preferiram não se identificar.

O ramo norte-americano da Opus Dei iniciou suas atividades apostólicas "em 1949, quando Salvador Ferigle, jovem estudante de física, e o padre Joseph Muzquiz, um dos primeiros três padres ordenados pela Opus Dei, chegaram a Chicago. O primeiro centro foi estabelecido perto da Universidade de Chicago. Atualmente existem mais de 3 mil membros nos EUA, e muitos mais que participam de atividades de formação espiritual. Essas atividades são organizadas em sessenta centros espalhados por dezenove cidades: Boston, Chicago, Dallas, Delray Beach (Flórida), Miami, Milwaukee, Nova Iorque, Pittsburgh, Princeton, Nova Jérsei, Providence, St. Louis, San Antonio, Houston, Los Angeles, São Francisco, South Bend (Indiana), South Orange (Nova Jérsei), Urbana (Illinois) e Washington D.C."

A prelatura da Opus Dei usa sete centros de conferência para retiros e seminários. Eles estão localizados perto de Boston, Chicago, Houston, Miami, Nova Iorque, São Francisco e Washington D.C.

Membros da Opus Dei, em colaboração com outros, dirigem uma faculdade e cinco escolas secundárias nos Estados Unidos: Lexington College, em Chicago; The Heights e Oakcrest perto de Washington, D.C.; Northridge Prep e The Willows, perto de Chicago; e Montrose School, perto de Boston. A Opus Dei também tem residências para estudantes universitários; a maior delas é a Bayridge Residence para mulheres, em Boston. Outras residências para universitárias são: Petawa Residence, em Milwaukee, e Westfield Residence, em Los Angeles. Entre as residências para homens estão Elmbrook Student Center, em Boston; Lincoln Green, em Champaign-Urbana, Illinois; Windmoor, em South Bem; e Wingren, em Dallas.

Em 1991, o cardeal Joseph Bernardin, arcebispo de Chicago, entregou a paróquia de St. Mary of the Angels para padres da Opus Dei. O The Catholic Information Center, em Washington D.C., e a Capela da Santa Cruz, em Houston, Texas, também foram entregues a padres da Opus Dei.

A discreta sede da Opus Dei nos EUA é um edifício de tijolos vermelhos de dezessete andares avaliado em 69 milhões de dólares que fica na esquina da avenida Lexington com a rua Thirty-fourth, em Manhattan.

No dia 6 de outubro de 2002, Escrivá foi consagrado santo pelo papa João Paulo II em uma cerimônia "assistida por pelo menos 300 mil dos seus seguidores, que ocuparam a praça de São Pedro e se espalharam pelas ruas próximas e ao longo da margem do rio Tibre. (...)

"A multidão ficou tão quieta durante a maior parte da cerimônia de quase duas horas, que dava a impressão de que estavam prendendo a respiração. Certamente foi uma das multidões mais decorosas a ocupar a praça de São Pedro. Eles foram chegando de terno e gravata, capas Burberry e alguns de *smoking*." O papa, "usando vestimentas brancas, chegou à praça no papamóvel", mas com vidro à prova de balas após a tentativa de assassinato em 1981. Atrás do palco, uma imagem gigantesca do mais novo santo da Igreja Católica pendia da sacada da basílica de São Pedro. Uma relíquia do santo, um fragmento de dente, foi colocado perto do altar. No auge da cerimônia, o pontífice de oitenta e dois anos disse: "Com a autoridade do Nosso Senhor Jesus Cristo, dos santos apóstolos Pedro e Paulo e da nossa, após longa reflexão, muitas invocações de ajuda divina, e tendo ouvido os conselhos de muitos de nossos irmãos bispos, declaramos abençoado o santo Josemaría Escrivá de Balaguer e escreveremos seu nome no álbum dos santos".

"Muitos dos peregrinos presentes à cerimônia eram (...) da Espanha, mas havia muitos da América Latina, onde a Opus Dei tem presença forte. O médico espanhol Manuel Nevado Rey, cuja recuperação de uma doença de pele causada por radiação foi considerada um milagre de Escrivá, estava no meio da multidão. (...) Especialistas médicos consultados pelo Vaticano afirmaram que não havia explicação científica para a melhora.

"A elevação de Escrivá a santo foi rápida. Foi beatificado, ou abençoado, em 1992." Tornou-se o 468º santo criado pelo papa em seu mandato de vinte e quatro anos, mais do que todos os santos criados por seus predecessores em quatro séculos. "Foi uma das canonizações mais rápidas de que se tem notícia, (...) e uma das mais controversas." "O caminho de Escrivá para a santidade foi marcado por acusações de que o Vaticano se recusara a ouvir o testemunho de críticos."

Especulando a respeito do fato de a canonização de Escrivá ter representado uma transgressão do direito canônico, Kenneth Woodward, correspondente da revista *Newsweek*, afirmou que "o sistema de 'advogado do diabo', criado pelo Vaticano para desacelerar o processo de canonização questionando a validade do 'milagre', foi contornado quando as testemunhas hostis à Opus Dei não foram chamadas". A Opus Dei alegou que "foram ouvidos onze críticos da canonização de Escrivá". Woodward disse que foi apenas um, e que os "consultores" eram principalmente italianos e membros da Opus Dei: isso impediu que as críticas de muitos dos padres espanhóis sobre Escrivá perturbassem o processo de canonização.

Além disso, disseram os críticos da Opus Dei que não era certo que "40% dos testemunhos tivessem vindo de dois capangas de Escrivá, que depois se tornaram líderes da Opus Dei. (...) A Opus Dei teria pressionado 'centenas' de bispos, 'especialmente do Terceiro Mundo tão sedento por dinheiro', para que enviassem relatórios favoráveis a Roma. Acredita-se que 1,3 mil bispos tenham enviado relatórios entusiásticos; mas, desses, apenas 128 haviam conhecido Escrivá pessoalmente".

Críticos da Opus Dei nos Estados Unidos apontaram "o desacreditado agente do FBI Robert Hanssen, sentenciado à prisão perpétua em 2001 por espionagem para os russos durante vinte e dois anos, tendo recebido mais de um milhão de dólares nesse período, e reconhecido como membro devoto da Opus Dei. (...) O cunhado de Hanssen era padre da Opus Dei em Roma, com escritório a poucos passos de distância do papa".

Em um artigo para a revista *America — The National Catholic Weekly*, o jesuíta James Martin observou que a Opus Dei "é uma presença cada vez mais forte nos *campi* universitários norte-americanos. Seus esforços para atrair novos membros levaram-nos às faculdades e universidades. E em algumas ocasiões gerou conflitos com outros grupos católicos do mesmo *campus*". Donald R. McCrabb, diretor executivo da Catholic Campus Ministry Association, afirmou: "Sabemos que a Opus Dei está presente em inúmeros *campi* de todo o país. Também sei que alguns ministros desses *campi* consideram suas atividades contraproducentes".

Uma das preocupações era a ênfase da Opus Dei no recrutamento, apoiado por uma base financeira aparentemente grande. "Eles não assumem a responsabilidade mais ampla que tem um ministro no *campus*." Ele disse também que "os ministros dos *campi* dizem que há um diretor espiritual encarregado do candidato que basicamente tem que aprovar todas as ações dessa pessoa, inclusive lendo sua correspondência, verificando as aulas que frequenta ou não, o que leem ou não".

Um ex-estudante da Universidade de Colúmbia disse: "Eles recomendavam que eu não lesse alguns livros, principalmente marxistas, e que usasse as versões que eles editavam. Isso era estranho — eu precisava ler para as aulas!"

Susan Mountin, diretora adjunta do ministro do *campus* da Universidade Marquette, afirmou sentir que "algumas pessoas provavelmente precisam sentir uma espécie de devoção em suas vidas". O que a preocupava era um "comportamento tipo culto, um isolamento dos amigos".

O diretor do ministério do *campus* da Universidade de Stanford de 1984 a 1992, o jesuíta Russell J. Roide, disse a McCrabb que no início abordou a Opus Dei com a mente aberta. No entanto, os estudantes começaram a procurá-lo para reclamar do recrutamento. "Eles simplesmente não deixam os estudantes em paz", ele disse. "Os estudantes me pediam: 'Por favor, afaste esses caras'."

Quando ele sentiu que sua única alternativa era passar para os estudantes informações a respeito da Opus Dei, incluindo artigos críticos, numerários da Opus Dei visitaram o padre Roide e disseram que ele estava "interferindo no trabalho deles". Por fim, devido às contínuas reclamações dos estudantes em relação ao recrutamento, Roide decidiu "não permitir que eles se aproximassem do *campus*".

Em 2003, uma mensagem na internet dizia: "Como parte do seu *modus operandi*, a Opus Dei procura se infiltrar e tomar conta de outras organizações católicas para transformá-las em linhas de frente do seu recrutamento. A Opus Dei tentará se infiltrar na liderança ou entre os membros de qualquer organização católica que não controle. Entre essas organizações podem estar, mas não se limitam a, grupos de jovens adultos, grupos da juventude cristã, centros de juventude católica em faculdades e universidades, ministérios de *campi*, paróquias e escolas. O objetivo deste Guia é oferecer métodos testados e aprovados para manter a independência dos grupos católicos e evitar que a Opus Dei assuma e destrua outros órgãos da Igreja Católica".

Em abril de 2003, Elizabeth W. Green escreveu na *Harvard Crimson* que a Harvard havia produzido "uma linhagem de líderes da Opus Dei por quase meio século, e nos últimos quarenta anos pelo menos três com as posições de autoridade mais alta dentro do ramo norte-americano da Opus Dei eram formados em Harvard". Ela afirmou: "Embora os estudantes e formandos de Harvard associados ao grupo dissessem que filiar-se à Opus Dei foi a melhor coisa que fizeram na vida, outros afirmam que essa é uma armadilha perigosa, uma espécie de culto ameaçador em sua interpretação cáustica do catolicismo".

Na Universidade de Notre Dame de South Bend, Indiana, a repórter Janice Flynn, do *The Observer on-line*, disse em outubro de 2004: "Os estudantes seguem por vários caminhos através da Opus Dei. Alguns aprofundaram sua vida espiritual. Outros tiveram experiências emocionais estressantes. Todos foram profundamente afetados pela influência da Opus Dei enquanto estavam na Notre Dame".

Em um artigo da edição de outubro/novembro de 2004 do *Washington Monthly*, Paul Baumann observou: "Muitos católicos na Europa e Estados Unidos consideram o movimento politicamente reacionário, extremista em sua ambição espiritual e mundana, e tortuoso. Os métodos de 'recrutamento', principalmente dos estudantes universitários, têm sido criticados como arrogantes ou pior. Existe até uma organização, a Opus Dei Awareness Network, dedicada a expor os métodos do grupo. Mas a Opus Dei tem seus admiradores, que a veem como defensora dos valores morais tradicionais, especialmente da família, assim como fonte providencial de entusiasmo evangélico, ortodoxia e inquestionável lealdade a Roma. O principal desses admiradores foi João Paulo II, que presidiu a rápida canonização do fundador do movimento. Os críticos, no entanto, viram a canonização de Escrivá em 2002 como um claro sinal da riqueza ilícita e da influência maligna da organização".

Após a morte de João Paulo II, enquanto 115 cardeais se reuniam no conclave para eleger seu sucessor, os membros da Opus Dei sabiam que não havia garantia de que ele favoreceria a Opus Dei da maneira como fizera João Paulo II. "Sua preocupação básica era que pudessem acabar entre os grandes perdedores", disse John Allen, correspondente do *National Catholic Reporter*. Mas os homens e mulheres da Opus Dei insistiram que seu futuro era seguro. Um porta-voz negou a possibilidade de que o novo papa se voltasse contra eles. A visão da Opus Dei no sentido de aprofundar o envolvimento de leigos na Igreja, ele disse, "faz parte do DNA da Igreja", e parte dos motivos para o apoio de João Paulo. Estava em jogo a influência de uma organização que Allen estimava ter ativos no valor de 2,8 bilhões de dólares em todo o mundo e 344,4 milhões nos Estados Unidos.

O correspondente do *New York Newsday*, Matthew McAllister, observou: "Se a Opus Dei parece obscura e estranha para o mundo, em parte é porque suas práticas podem parecer uma volta à Idade Média".

Observando que a Opus Dei florescera sob João Paulo II, David Yallop, autor de *Em nome de Deus: uma investigação em torno do assassinato de João Paulo I*, escreveu que se Bento XVI não era um membro da Opus Dei, era tudo o que os seguidores da Opus Dei poderiam desejar que fosse um papa. Um de seus primeiros atos como pontífice foi visitar o túmulo de Escrivá, rezar e abraçar uma estátua dele. Depois concedeu à Opus Dei o *status* de prelazia pessoal no reino de Bento, mantendo a situação em que responde apenas ao papa e a Deus.

Os críticos da Opus Dei também alegam que a organização tem ligações com movimentos direitistas e pró-nazistas na Europa. Nada na história recente do papado causou mais controvérsias do que os acordos públicos e secretos antes e depois da Segunda Guerra Mundial entre a Alemanha nazista de Adolf Hitler e o Vaticano.

Capítulo 9

O PAPADO E OS NAZISTAS

Papa Pio XII

Em 21 de setembro de 2006, a Agência de Notícias Católicas de Roma informou que "documentos encontrados nos arquivos do Vaticano demonstravam que o cardeal Eugenio Pacelli, futuro papa Pio XII, defendeu clérigos antinazistas e censurou padres que expressavam admiração por Adolf Hitler".

A Agência disse ainda: "O historiador alemão Hubert Wolf disse à Associated Press que as gravações dos encontros do Vaticano realizados no final dos anos 1930 mostram que o adoecido papa Pio XI confiava no cardeal Pacelli, então secretário de Estado, para reforçar a posição do pontificado contra o nazismo e o fascismo".

Segundo Wolf, o papa Pio XI apenas "se benzia e dizia 'nosso secretário de Estado encontrará uma solução'".

"Os arquivos, que cobrem o período de 1922 a 1939, podem oferecer respostas a uma controvérsia em torno do cardeal que depois se tornou papa e que tem sido acusado por alguns historiadores de não ter feito o bastante para proteger os judeus durante o Holocausto. O Vaticano insiste que Pio XII usou de diplomacia discreta para salvar milhões de judeus." Muito se sabe a respeito da relação entre o papa Pio XII e os nazistas, mas muitos acreditavam que os arquivos do Vaticano contêm documentos e outras evidências comprometedoras para a Igreja.

Nos anais oficiais do Vaticano, Pio XII, "que morreu em 1958, é descrito como um santo pastor que conduziu seu rebanho com grande coragem moral em tempos difíceis. Para muitos estudiosos ele era pior do que a encarnação do diabo, 'o papa de Hitler', no mínimo um covarde que se recusou a falar contra o extermínio dos judeus, ciganos e homossexuais em câmaras de gás, mesmo diante de evidências inegáveis do que estava acontecendo, com receio de que suas palavras atraíssem a agressão nazista".

Em 2006, o jornal britânico *The Independent* declarou: "Mês a mês, ano a ano, mais evidências surgem de outras fontes a respeito das simpatias do Vaticano durante a Segunda Guerra Mundial". O que se sabia era que "em 1933, como representante do Vaticano na Alemanha, o futuro Pio XII fizera um acordo com Hitler, cujas tendências autoritárias ele admirava, para fechar o Partido do Centro Alemão, dominado pelos católicos e que fazia oposição cerrada ao nacional-socialismo. Esse acordo se baseou naquele feito pelo Vaticano em 1929 com Mussolini, o líder fascista italiano. Ao ser eleito papa em 1939, Pio XII suprimiu um documento que denunciava Hitler, a encíclica *Mit brennender sorge* (Com profunda preocupação) escrita por Pio XI em 1937. Durante a guerra, Pio XII não fez nenhum pronunciamento público condenando o Holocausto, exceto por uma única frase ambígua em uma mensagem de Natal de vinte e seis páginas de 1942.

"Entre as várias acusações controversas feitas contra ele estão a de que não fez nada para proteger os judeus de Roma enquanto os nazistas e os fascistas italianos os conduziam para as câmaras de gás; (...) proibiu mosteiros e conventos de abrigar judeus que estivessem tentando fugir dos nazistas; permitiu que a Igreja lucrasse com bens saqueados das vítimas dos nazistas; e fechou os olhos para a ajuda dada pelas ordens religiosas católicas, especialmente na Croácia, a criminosos de guerra nazistas em sua fuga para começar uma nova vida na América Latina", usando o que era conhecido como *ratlines*, literalmente "linha do rato".

A Igreja negou vigorosamente todas essas acusações, mas os historiadores argumentaram que sem acesso aos arquivos do Vaticano da época da guerra, não poderia haver uma verificação independente da alegação do Vaticano de que Pio XII estava livre da mancha do pecado.

Em 1999, no livro *O papa de Hitler*, o inglês John Cornwell afirmou que "aparentemente Pio XII estava preparado para suportar qualquer atrocidade nazista porque enxergava em Hitler um bastião contra o avanço do comunismo ateu da Rússia por toda a Europa". Ele escreveu que o futuro papa "desde o início mostrava tendências antissemitas", e que seu empenho para promover o absolutismo papal o levaria inexoravelmente à colaboração com os líderes fascistas. Cornwell mostrou o secretário de Estado cardeal Pacelli implementando objetivos diplomáticos que destruíram o maior partido político católico da Alemanha, que poderia ter impedido os excessos de Hitler. "O fracasso de Pacelli em se contrapor com firmeza aos nazistas foi mais do que um fracasso pessoal," disse Cornwell, "foi o fracasso do próprio ofício papal".

Aparentemente para contestar o livro de Cornwell, "a Igreja concordou em permitir o acesso a um grupo de seis especialistas judeus e católicos, indicados pelo Vaticano e pelo Comitê Judaico Internacional para Consultas Inter-religiosas (International Jewish Committee for Inter-religious Consultation). Em julho de 2001, os membros judeus do grupo renunciaram, citando a 'falta de resposta positiva' por parte do Vaticano".

Em 2003, o Vaticano anunciou que permitira um "exame limitado" dos documentos relacionados a Pio XII nas salas de leitura do Arquivo Secreto do Vaticano e da Congregação para a Doutrina da Fé. "Líderes e especialistas judeus expressam considerável desapontamento. (...) O papa João Paulo II estava determinado a beatificar Pio, que segundo o Vaticano fizera tudo o que podia para salvar vidas, mas não tomou atitudes públicas com receio de colocar ainda mais em perigo os judeus e católicos nos países ocupados pelos nazistas. (...) O Vaticano (...) reafirmou que abriria os arquivos assim que fossem colocados em ordem, disse que o papa havia decidido abrir os arquivos 'para colocar um fim a especulações injustas e ingratas'. (...)

"João Paulo II era o único com autoridade para abrir os arquivos e liberar documentos selecionados sobre os laços do Vaticano com os alemães de 1922 a 1939, quando o homem que depois se tornou Pio XII era o embaixador do Vaticano na Alemanha. Entre os primeiros documentos do período de guerra a ser liberados, segundo o Vaticano estariam aqueles que tratavam da 'caridade e ajuda' de Pio XII pelos prisioneiros de guerra. 'Queremos que os historiadores conheçam as grandes atividades de caridade e ajuda de Pio XII com os prisioneiros e outras vítimas da guerra, incluindo os de qualquer país, religião ou raça', dizia a declaração."

No dia 13 de agosto de 2003, Laurie Goldstein, repórter do *New York Times*, informou que "documentos diplomáticos divulgados recentemente por um historiador jesuíta mostravam que enquanto servia como diplomata, o futuro papa expressou forte antipatia pelo regime nazista em mensagem privada para funcionários norte-americanos. Um dos documentos era um memorando confidencial escrito em abril de 1938 pelo cardeal Pacelli, que dizia (...) transigir com os nazistas deveria estar fora de questão". O outro é um relatório de um cônsul-geral norte-americano informando que em uma longa conversa em 1937, o cardeal Pacelli chamou Hitler de 'uma pessoa fundamentalmente má' e 'um canalha desonesto'.

"Historiadores que viram os documentos disseram que eles reforçavam a opinião de que o homem que se tornou o papa Pio XII não era um simpatizante nazista, e na verdade estava convencido de que os nazistas eram uma ameaça para a Igreja e a estabilidade da Europa. Mas os historiadores concordavam que os documentos de maneira nenhuma explicavam ou exoneravam a inação de Pio XII perante o Holocausto." Nenhum dos documentos "mencionava a perseguição aos judeus, que estava sendo perpetrada quando foram escritos. Os documentos foram descritos por Charles R. Gallagher, historiador jesuíta da Universidade de St. Louis,, em um artigo na revista semanal *America*. Gallagher, com trinta e oito anos, era um ex-policial não ordenado jesuíta que estava estudando para se tornar um sacerdote. Ele disse que vira os documentos enquanto pesquisava para a biografia de outro diplomata papal mais obscuro. (...)

"O sr. Gallagher disse, numa entrevsita, esperar que os documentos mostrassem que, como diplomata, o cardeal Pacelli defendeu sua causa contra os nazistas privadamente, para outros diplomatas. 'Não chegaria ao ponto de dizer que esses documentos o inocentam', falou. 'Mas creio que esses achados ajudarão a desfazer a impressão de que esse papa era, como alguns o chamaram, Papa de Hitler.'

"O Sr. Gallagher encontrou o memorando de Pacelli entre os papéis diplomáticos do embaixador Joseph P. Kennedy, guardados na Biblioteca Presidencial John F. Kennedy, em Boston. Joseph Kennedy (...) serviu como embaixador na Inglaterra de 1938 a 1940. O embaixador Kennedy recebeu o memorando em abril de 1938, quando se encontrou em Roma com o cardeal Pacelli, então secretário de Estado do Vaticano. (...) O cardeal também escreveu que a Igreja às vezes se sentia impotente e isolada na luta diária contra todos os tipos de excessos políticos, dos bolcheviques aos novos pagãos que surgiam entre as jovens gerações de arianos. Ele escreveu que 'evidências de boa-fé' do regime nazista 'faltam completamente' e que 'a possibilidade de um acordo' com os nazistas 'estava fora de questão por enquanto'."

Embora a seção dos arquivos do Vaticano referente aos anos do papado de Pio XII ainda não tivesse sido aberta aos historiadores em 2008, "em um discurso para representantes da Fundação Pave the Way em visita à sua residência de verão, Castel Gandolfo, o papa Bento XVI disse que Pio XII 'não poupou esforços, onde fosse possível, para interferir (também pelos judeus) diretamente ou por meio de instruções dadas a indivíduos ou instituições da Igreja Católica'".

Bento disse que Pio XII "tinha que trabalhar 'secretamente e silenciosamente' para 'evitar o pior e salvar o maior número possível de judeus', (...) repetindo declarações feitas por especialistas do Vaticano no passado. O papa também disse que Pio XII recebeu o agradecimento de grupos judeus durante e após a guerra por ter salvado a vida de milhares de judeus. Citou um encontro do líder da Igreja Católica Romana no Vaticano em novembro de 1945 com oitenta sobreviventes de campos de extermínio que foram 'agradecer pessoalmente por sua generosidade'". Bento também disse que "uma investigação mais aprofundada reforçaria 'a verdade histórica, superando todos os preconceitos remanescentes'".

A defesa de Bento foi feita alguns dias antes do quinquagésimo aniversário da morte de Pio XII, em 1958, enquanto prosseguia o processo de canonização iniciado por João Paulo II. Nascido em Roma em 1876, Eugenio Pacelli tornou-se padre e recebeu sua primeira indicação como "cura em Chiesa Nuova, a igreja onde ele havia servido como coroinha. Aí ele ensinou catecismo para as crianças. (...) Ao mesmo tempo, prosseguiu nos estudos para obter um doutorado em Lei Canônica e Civil. (...) e também doutorados em filosofia e teologia". Em 1904, se "tornou camareiro papal com o título de monsenhor e um ano depois um prelado doméstico. (...)

"Em 1908, Pacelli participou do Congresso Eucarístico em Londres. O sacerdote de trinta e dois anos estava então bem encaminhado no que se tornaria uma brilhante carreira de quase quarenta anos de serviços diplomáticos para a Igreja. De 1904 a 1916 foi assessor de pesquisa no escritório da Congregação de Negócios Eclesiásticos Extraordinários, onde assessorou o cardeal Pietro Gasparri na tarefa crucial de esclarecer e atualizar o direito canônico. Em 1910, monsenhor Pacelli estava de volta a Londres, representando a Santa Sé na coroação do rei Jorge V.

"Em 1911, o papa Pio X nomeou Pacelli subsecretário para Assuntos Eclesiásticos Extraordinários. Esse departamento da Secretaria de Estado negociava os termos dos acordos com governos estrangeiros que permitiriam à Igreja cumprir sua missão de ensino. Em 1912, ele foi nomeado secretário. Dois anos depois, tornou-se secretário da Congregação de Negócios Eclesiásticos Extraordinários."

Quando Pio X morreu, em 1914, o papa Bento XV nomeou o monsenhor Pacelli como núncio papal na Bavária, Alemanha. Antes de assumir o posto, "ele foi consagrado bispo pelo papa Bento XV na Capela Sistina (13 de maio de 1917). Depois foi elevado a arcebispo e seguiu para a Alemanha para apresentar suas credenciais a Ludovico III, rei da Bavária, em 28 de maio de 1917. Dorothy Thompson, correspondente norte-americana, escreveu: 'Aqueles de nós que foram correspondentes estrangeiros em Berlim durante a época da República de Weimar estavam familiarizados com a figura do decano do corpo diplomático. Alto, esguio, com olhos magníficos, traços fortes e mãos expressivas, na aparência Pacelli parecia exatamente o que era, um nobre romano, do sangue de maior orgulho do mundo ocidental. No conhecimento dos negócios alemães e europeus e na astúcia diplomática, o núncio era inigualável'. (...)

"No dia 22 de junho de 1920, Pacelli tornou-se o primeiro núncio apostólico da Alemanha. Quatro anos depois, em 29 de março de 1924, ele assinou uma concordata[5] com a Bavária, ratificada por seu Parlamento em 15 de janeiro de 1925, determinando os direitos e deveres da Igreja para com o governo e vice-versa. Após concluir o pacto com a Bavária, Pacelli conseguiu ser bem-sucedido com a Prússia e Baden. (...) Depois de algum tempo em Munique, a residência do núncio apostólico foi transferida para Berlim."

"O Tratado de Latrão, em 1929, estabeleceu relações formais entre a Itália e o Vaticano. Seguindo o exemplo de Mussolini, Adolf Hitler também iniciou uma concordata, acordo legal estritamente definido que visava preservar a liberdade da Igreja para ensinar e orientar os fiéis."

Em 7 de fevereiro de 1930, Pacelli "foi nomeado secretário de Estado e tornou-se arcipreste da basílica do Vaticano". Nessa condição,

---

[5] Dá-se o nome de concordata ao tratado internacional celebrado entre a Santa Sé e um Estado soberano para assegurar direitos dos católicos e da Igreja Católica nesse Estado, o que inclui privilégios como isenções fiscais e o direito de influenciar a escolha de bispos. O Concílio de Constança (1414–1418) proclamou que a concordata serviria para regular as relações entre o papado e os reinos estrangeiros. (N.T.)

"negociou com os alemães para proteger os direitos dos católicos". Tendo viajado muito, incluindo uma visita histórica aos Estados Unidos em 1936, foi visto por mais pessoas e foi o papa mais acessível da história do papado até seu pontificado.

Na encíclica *Mit brennender sorge*, em que condenava o antissemitismo, o papa Pio XI disse: "Apenas as mentes superficiais poderiam tropeçar em conceitos de um Deus nacional, de uma religião nacional; ou tentar trancar nas fronteiras de um único povo, dentro dos estreitos limites de uma única raça, Deus, o Criador do universo, Rei e Legislador de todas as nações diante de cuja imensidão são 'como a gota de um balde' (Isaías 40:15)". "A encíclica preparada sob a direção do cardeal Pacelli, então secretário de Estado, foi escrita em alemão para facilitar uma divulgação mais ampla no país. Saiu da Itália sigilosamente, foi copiada e distribuída aos padres de todas as paróquias para a leitura do Domingo de Ramos, 21 de março de 1937. (...) Um memorando interno alemão datado de 23 de março de 1937 afirmava que a encíclica era 'quase um chamado para a luta contra o governo do Reich'. A encíclica *Mit brenneder sorge* foi confiscada; os responsáveis pela impressão foram presos e as prensas apreendidas. (...)

"O cardeal Pacelli voltou para a França em 1937, como legado papal, para consagrar e inaugurar a nova basílica em Lisieux durante o Congresso Eucarístico, e fez outra declaração antinazista. Ele presidiu mais uma vez (de 25 a 30 de maio de 1938) um Congresso Eucarístico em Budapeste."

"Os cardeais elegeram Eugenio Pacelli o 260º papa no dia de seu sexagésimo terceiro aniversário, em 2 de março de 1939. Ele recebeu sessenta e um dos sessenta e dois votos porque não votou em si mesmo, e foi eleito pontífice. Depois de ter servido a Igreja sob quatro papas (Leão XIII, são Pio X, Bento XV e Pio XI) por quase vinte anos, Eugenio Pacelli adotou o nome de Pio XII. (...)

"Imediatamente após a sua eleição, Pio XII lançou um chamado para uma conferência de paz dos líderes europeus. Documentos mostram que em uma tentativa de última hora para evitar um derramamento de sangue, o papa convocou uma conferência envolvendo Itália, França, Inglaterra, Alemanha e Polônia. O plano de paz de Pio XII baseava-se em cinco pontos: a defesa das nações pequenas, o direito à vida, o desarmamento, uma espécie de nova Liga das Nações e um apelo pelos princípios morais de justiça e amor. (...) Pio XII encontrou-se então com os cardeais alemães presentes no recente conclave. (...) Esses encontros deram a ele provas e informações diretas que motivaram o conteúdo de sua primeira encíclica, *Summi pontificatus.* Com data de 20 de outubro de 1939, essa encíclica foi um forte ataque ao totalitarismo. Nela, Pio XII destacou os governos que, por sua deificação do Estado, colocavam em perigo o espírito da humanidade. Ele falou sobre restabelecer o fundamento da sociedade humana em sua origem na lei natural, à sua fonte em Cristo, o único verdadeiro governante de todos os homens e mulheres de todas as nações e raças.

"Pio XII advertiu: 'Qual época tem sido, apesar de todo o seu progresso técnico e puramente cívico, mais atormentada do que a nossa pelo vazio espiritual e profunda pobreza interior?' O mundo havia abandonado a cruz de Cristo por outra (a suástica), que traz apenas morte. (...)

"No dia 24 de agosto de 1939, ele deu a cada representante papal o texto de um discurso pedindo-lhes que entregassem a seus respectivos governos. Naquela noite, leu o discurso para o mundo (pelo rádio): 'O perigo é iminente, mas ainda há tempo. Nada se perde com a paz; tudo pode ser perdido com a guerra. Que os homens retomem a compreensão mútua! Que os homens iniciem novas negociações, conferenciando com boa vontade e com respeito pelos direitos recíprocos'."

Confinado na Cidade do Vaticano durante a Segunda Guerra Mundial pelas forças de ocupação alemã, "o papa Pio XII era quase universalmente considerado um homem santo, um estudioso, um homem da paz, uma fortaleza". Depois da guerra, se tornou o primeiro pontífice a aparecer na televisão. Quando morreu, em 9 de outubro de 1958, a futura primeira-ministra de Israel, Golda Meir, disse: "Quando o terrível martírio se abateu sobre o nosso povo, a voz do papa se ergueu para suas vítimas. A vida de nosso tempo foi enriquecida por uma voz falando sobre as grandes verdades morais acima do tumulto do conflito quotidiano. Choramos um grande servidor da paz".

O jornal do Vaticano, *L'Osservatore Romano*, descreveu seu funeral como o maior na longa história de Roma, superando até o de Júlio César. Como o corpo não havia sido embalsamado apropriadamente, começou a se decompor enquanto estava na catedral de São Pedro. Enquanto perdia a cor, o corpo irradiou um odor tão forte que um dos membros da Guarda Suíça desmaiou.

O odor e a descoloração, aliados ao fato de Pio XII praticar exercícios regularmente e estar bem de saúde, levaram os teóricos da conspiração a acreditar que teria sido envenenado. Uma semana antes de sua morte, ele se queixou de dores abdominais e soluços. O papa lutou para manter sua rigorosa agenda, mas um dia, enquanto era examinado pelo médico, subitamente gritou alarmado: "*Dio mio, non ci vedo!*" (Meu Deus, não consigo ver!). Era um derrame. Com a visão rapidamente restaurada, ele chamou seu secretário de Estado, Angelo Dell'Acqua, e perguntou: "Por que as audiências papais foram canceladas?" Ele recebeu a santa comunhão e a extrema-unção de seu secretário, o jesuíta alemão padre Robert Leiber, mas olhou para o termômetro enquanto lhe tiravam a temperatura e disse: "*Non é grave*" quando viu que marcava 37,2 °C. Naquela noite ele tomou um copo de vinho tinto e pediu que colocassem a *Primeira Sinfonia* de Beethoven. Às 7h30 da manhã seguinte, um segundo derrame deixou-o inconsciente. O papa demorou vinte horas para morrer. Segundo o costume do Vaticano, não houve autópsia.

Mais tarde, diante das afirmações de que Pio XII havia colaborado com os nazistas e fizera pouco para ajudar os judeus, cresceram as exigências para que o Vaticano abrisse seus arquivos sobre os anos de guerra de Pio XII. Esses pedidos se intensificaram depois que João Paulo II iniciou o processo para acrescentar Pio XII ao catálogo de santos.

É possível que nos arquivos do Vaticano haja documentos que possam lançar alguma luz sobre o relacionamento da Santa Sé com os chefes do crime organizado. Como a Cosa Nostra surgiu na Sicília e espalhou seus tentáculos para os Estados Unidos e o resto do mundo, supostas relações entre asseclas do submundo do crime e a Igreja Católica têm sido temas de filmes, como *O poderoso chefão* e suas sequências e imitações, além de inúmeros livros. Donna Leon, romancista mais conhecida pela série de livros de ficção com o commissário Guido Brunetti, que se passa em Veneza, uma vez perguntou: "O que a Itália fez para merecer ter o Vaticano e a máfia?"

No livro de não ficção *The Vatican Exposed: Money, Murder and the Mafia* (O Vaticano exposto: dinheiro, assassinato e a máfia), Paul L. Williams relacionou a origem dos supostos laços do Vaticano com a máfia ao acordo de 1929 entre a Santa Sé e Mussolini. Por meio do Tratado de Latrão, a Igreja em Roma recebeu dinheiro, direitos de propriedade isentos de impostos, *status* de Estado soberano e a proteção do governo fascista de Mussolini. Com isso, o Vaticano ficou isolado das interferências dos nazistas durante a ocupação alemã na Itália na Segunda Guerra Mundial, descrita pelos escritores Mark Aarons e John Loftus no livro *Unholy Trinity: The Vatican, the Nazis, and the Swiss Banks* (Ímpia Trindade: o Vaticano, os nazistas e os bancos suíços).

Um exemplo dramático da aliança Vaticano-máfia, em 1934, envolveu a venerada catedral de Nápoles. Seu santo padroeiro, são Januário (Gennaro), bispo de Benevento, morreu como mártir por volta de 305 d.C. Na capela do tesouro da catedral havia um altar de prata maciça, "um busto de prata que se acreditava conter a cabeça de são Januário, um relicário com dois frascos do que se supunha ser seu sangue. Durante a festa de San Gennaro, amontoavam-se na catedral os clérigos, funcionários civis e uma multidão de napolitanos devotos. Segurando o relicário no alto, o padre o colocava diante da escultura de prata contendo a cabeça" e o virava ao contrário para mostrar o frasco contendo uma massa sólida, opaca. "Depois de uma hora de orações, as pessoas presenciavam a transformação da massa sólida em algo macio, vermelho, que aumentava de volume e borbulhava como um líquido. "*Il miracolo é fatto!*" (O milagre foi feito), gritava o oficiante. O coro cantava um *Te Deum*. Os fiéis então formavam uma fila para beijar o relicário.

Esse ritual ocorre três vezes por ano. A revista *Time* informou que em 1969, "são Januário foi retirado do calendário oficial do Vaticano, junto com são Cristóvão e outros santos cuja existência era cercada de dúvidas. (...) Entre outras coisas, o cardeal arcebispo de Nápoles. (...) convenceu a congregação da catedral a conter o alvoroço quando o líquido borbulhava. (...) Segundo uma enciclopédia, os milagres de são Januário eram 'um resquício do cristianismo paganizado que a Igreja não conseguiu remover dos costumes napolitanos'. Isso foi suficiente para fazer ferver o sangue de toda Nápoles. São Januário, segundo o editorial de um jornal, era 'não apenas o patrono, mas o padrinho de Nápoles'. (...) Os napolitanos já passaram por tudo isso. Em 1750, um iconoclasta procurou desacreditar o 'Milagre' de são Januário afirmando que era uma mistura de amálgama de ouro com mercúrio e sulfeto de mercúrio. Em 1890, um professor italiano teve resultados com uma mistura de chocolate, água, açúcar, caseína, soro de leite e sal. Nem mesmo as dúvidas do Vaticano assombram os napolitanos. Depois que são Januário perdeu seu lugar no calendário da Igreja, um seguidor fervoroso rabiscou no altar do santo na catedral: '*San Gennaro, non frega niente*' (São Januário não dá a mínima)".

Na Segunda Guerra Mundial, enquanto as forças norte-americanas seguiam das areias de Salerno, onde haviam desembarcado, em direção a Nápoles, "o Vaticano, tendo ouvido boatos de que os alemães antes de se retirar (...) planejavam derreter a prata do altar de são Januário para pagar pela ocupação do sul da Itália, entrou em contato com a máfia e pediu sua colaboração. (...) A máfia, (...) também imensamente religiosa, aceitou a proposta do Vaticano com entusiasmo piedoso". Como haviam colaborado com os alemães desde o início da ocupação, tinham permissão para transportar comida e artigos do mercado negro de Nápoles para Roma. "Assim, a prata do altar foi levada em caminhões da máfia até a entrada do Vaticano, onde foi guardada em segurança."

Morando em Nápoles nessa época, estava o figurão do crime organizado norte-americano Vito Genovese, que fora deportado dos Estados Unidos em uma ação de repressão ao crime que colocara o chefão genovês Charles "Lucky" Luciano na prisão. Quando o exército norte-americano ocupou Nápoles, descobriu que seu trabalho seria mais fácil se tivesse a ajuda de Genovese e dos mafiosos napolitanos. Michele Sindona estava entre os italianos que também descobriram que para fazer negócios em Nápoles em 1943, Genovese era o homem que devia ser procurado. Michele Sindona, siciliano, que seria o futuro sócio de Roberto Calvi no escândalo do Banco do Vaticano, "estudou direito e durante a guerra envolveu-se com o negócio de limão". Segundo Luigi DiFonzo, biógrafo de Sindona, "ele precisava comprar um caminhão para transportar os limões. Para conseguir isso, Michele Sindona precisava da proteção da máfia porque ela controlava a indústria e poderia lhe fornecer os documentos que ele precisava apresentar no controle de fronteiras. A ajuda veio de um bispo local. (...) Ele fez contato com Genovese". O resultado foi não apenas um caminhão, mas também "papéis falsos e uma rota segura para seus negócios".

Vinte anos depois, as investigações a respeito do assassinato de Roberto Calvi revelaram um fluxo de dinheiro da família Corleone da máfia siciliana (a verdadeira, e não a de *O poderoso chefão*) para Sindona e o Banco do Vaticano. Em um exemplo de ficção imitando a vida, em *O poderoso chefão III*, Michael Corleone tenta obter respeitabilidade e riqueza por intermédio de uma empresa legítima procurando comprar ações do Vaticano em uma *holding* internacional do ramo imobiliário, da qual o Vaticano detinha um quarto do controle. Ele negocia uma transferência de 600 milhões de dólares para o Banco do Vaticano com o arcebispo Gilday, que afundara a Santa Sé em dívidas devido à má administração e à corrupção.

Enquanto cineastas têm proporcionado entretenimento implicando um Vaticano cinematográfico em conspirações e os historiadores têm mergulhado nos arquivos do Vaticano sobre os anos anteriores à Segunda Guerra Mundial, a Santa Sé se recusa a abrir o restante dos documentos sobre o reinado do papa Pio XII (1939–1958). Apesar dos pedidos constantes dos pesquisadores, o Vaticano diz que alguns estão fechados por questões de organização, mas que a documentação mais significativa em relação a Pio XII já está disponível para os estudiosos.

A pressão para que os arquivos sejam abertos é feita principalmente por grupos judaicos e sobreviventes do Holocausto. "Até que os arquivos secretos do Vaticano sejam abertos, os registros de Pio *vis-à-vis* com os judeus continuarão a ser fonte de controvérsias e disputas", disse Abraham Foxman, diretor da Liga Antidifamação (ADL — Anti-Defamation League). "Nós insistimos veementemente para que o Vaticano faça do acesso total e irrestrito aos arquivos desse período sua maior prioridade e chame todas as partes interessadas para ajudar."

Embora os arquivos do Vaticano referentes ao período da Segunda Guerra Mundial continuem secretos, outras fontes revelaram que o Vaticano, às vezes em colaboração com o governo norte-americano, ajudou criminosos de guerra nazistas a fugirem. Eles saíram da Europa e seguiram para países da América do Sul, principalmente a Argentina, seguindo uma rota de fuga que ficou conhecida como *Ratline* (linha de rato).

Capítulo 10

ESPIÕES E RATOS

Padre Krunoslav Draganovic

Seis décadas após o fim da Segunda Guerra Mundial, uma ação judicial impetrada na corte federal de São Francisco alegou que "as atrocidades cometidas pelo governo títere nazista de Ante (Anton) Pavelic, chefe do 'Estado Católico da Croácia'," haviam sido perpetradas com a cumplicidade de funcionários do Vaticano. "O regime Pavelic foi um exemplo típico dos movimentos políticos que se espalharam por toda a Europa e tiveram o apoio do chamado 'fascismo clerical' — mistura de doutrina católica romana ortodoxa, antissemitismo e política autoritária. Esses grupos tiveram ajuda do governo italiano sob Mussolini, do departamento 'Ausland' da Alemanha nazista, que ajudava outros governos com a mesma visão", e alguns clérigos católicos dentro e fora do Vaticano.

"Na Croácia, os terroristas de Pavelic receberam em 1939 uma ajuda financeira fundamental de Mussolini, e a ajuda do arcebispo A. Stepinac, para estabelecer o Movimento Separatista Croata e eventualmente tomar o poder." Sob a Ustase (a polícia secreta), um reino de terror se abateu "sobre os judeus, sérvios ortodoxos, que recusavam a conversão ao catolicismo, e políticos dissidentes. O governo de Pavelic criou campos de concentração e extorquiu uma fortuna em ouro e outros bens, especialmente de judeus que foram enviados para trabalhar nos campos de extermínio da Alemanha. A Ustase tinha o apoio da Igreja Católica (o arcebispo Stepinac era o 'capelão' oficial do grupo e deu sua bênção para o regime de Pavelic) e principalmente dos franciscanos croatas. A ação judicial de São Francisco acusava a ordem católica de ter 'se envolvido em crimes variados, incluindo genocídio, e financiado o restabelecimento do movimento nazista croata na América do Sul nos anos 1950'".

O envolvimento de católicos croatas na criação de uma rota de fuga para nazistas após a guerra foi documentado por agentes da inteligência norte-americana. Seus registros foram preservados nos arquivos da Agência Central de Inteligência (CIA) do pós-guerra. Um desses arquivos abertos dizia respeito a um padre, Krunoslav Stjepan Draganovic, nascido em Brcko, Bósnia. "Ordenado padre, ele serviu em Sarajevo de 1930 a 1932. Durante esse período teve contato direto com o dr. Ivan Saric, arcebispo católico da Bósnia." O arquivo da CIA dizia que o arcebispo era "talvez o mais radical adversário dos sérvios ortodoxos e da família real iugoslava, que é de origem sérvia, e defensor feroz do Estado Independente da Croácia (que incluía toda a Croácia, Dalmácia, Bósnia e Herzegovina)".

"Foi sob os auspícios do arcebispo Saric que Draganovic foi enviado a Roma em 1932 para frequentar o Instituto Orientale Pontefício. (...) Ele obteve seu doutorado em 1935 e voltou a Sarajevo, onde atuou como secretário do arcebispo Saric de 1935 a 1940. Em fevereiro de 1941 deu aulas de história eclesiástica na Universidade de Zagreb, na Croácia.

Existem relatos conflitantes sobre as atividades do sujeito durante o período de abril de 1941 a agosto de 1943. Segundo algumas versões, logo após a criação do Estado Independente da Croácia, em abril de 1941, por Ante Pavelic, (...) com o apoio e aprovação da Alemanha nazista, tornou-se figura importante do Escritório para a Colonização (...) empenhado em reclamar a propriedade dos sérvios ortodoxos na Bósnia, Herzegovina e Croácia" a fim de distribuir a propriedade para a Ustase. "Outros relatos identificavam-no como membro de um comitê que forçou a conversão de milhares de sérvios ortodoxos à Igreja Católica Romana. (O resultado da oposição a essas conversões forçadas foi a morte, pela Ustase, de várias centenas de milhares de sérvios que viviam no território do Estado Independente da Croácia. (...) Por causa disso, muitos sérvios, e até muitos croatas que se opunham a esses métodos desumanos, se juntaram às guerrilhas para combater os alemães e o Estado Croata.) (...)

"Muitos sérvios que viviam fora da Iugoslávia acusaram Draganovic de ser pessoalmente responsável pela morte de mais de 10 mil sérvios da Croácia, assassinados pela Ustase como parte de sua disposição para exterminar os sérvios que viviam na Croácia."

Segundo o arquivo da CIA, "o sujeito negou as acusações, assim como a acusação de que era capelão militar de unidades militares da Domobran ou Ustase. (...) Segundo suas próprias declarações, o sujeito contribuiu para montar um Comitê Croata-Esloveno para o Alívio de Refugiados Eslovenos em Zagreb no outono de 1941, e tornou-se presidente do comitê. Em meados de 1943, o sujeito evidentemente se envolveu em uma briga com Eugen (vulgo [ilegível]) Kvaternik, figura importante do governo da Croácia e colaborador próximo de Ante Pavelic, chefe do Estado Croata. Ele chamou Kvaternik de 'louco e lunático'. Por isso foi 'chutado para o andar de cima', o que significa que em 1943 ele foi à Itália representando a Cruz Vermelha croata em uma missão para garantir a libertação de campos ou ajudar internados iugoslavos de alguma outra maneira. Seu protetor era o (...) arcebispo de Zagreb. Voltou a Zagreb no final de 1943, mas retornou a Roma em janeiro de 1944, e ainda estava na Itália quando o Estado Croata caiu em meados de 1945, mais ou menos na mesma época do fim da guerra na Europa.

"Ele continuou a representar a Cruz Vermelha croata, mas também era considerado encarregado não oficial dos negócios do Estado Croata no Vaticano. Assim, quando o Estado Croata ruiu, ele ficou na situação ideal para ajudar muitos ustases que fugiam da Iugoslávia, e como secretário de uma organização conhecida como 'Confraternidade Croata' na Itália emitiu documentos de identidades falsas para muitos croatas, principalmente ustases considerados criminosos de guerra, e é o principal responsável por possibilitar sua fuga para o exterior, principalmente para a Argentina, mas também para o Chile, Venezuela, Austrália, Canadá e até mesmo para os Estados Unidos. (...)

"Draganovic teria fornecido a criminosos de guerra alemães documentos de identidade com falsos nomes croatas, permitindo que nazistas emigrassem da Europa e evitassem ser julgados na Alemanha. (...) As atividades do sujeito em Roma foram conduzidas a partir da Faculdade Eclesiástica de San Girolamo degli Illirici, (...) faculdade patrocinada pelo Vaticano e usada por jovens sacerdotes croatas católicos como residência em Roma enquanto faziam cursos variados. Tornou-se também o patrocinador do Asilo San Girolamo para os ustases e outros emigrados croatas em Roma. (...)

"O sujeito reclamou o crédito por ajudar na libertação de mais de 10 mil prisioneiros na Itália em 1943, 1944 e início de 1945. Em 1949, foi para a Argentina na companhia do finado Ante Pavelic, mas voltou a Roma logo depois. Sabe-se que em 1950 estava usando um passaporte diplomático, emitido pelo Vaticano." "O Vaticano negou prontamente qualquer envolvimento, inclusive a aquisição de ouro da Ustase e de bens desviados."

Com o final da Segunda Guerra Mundial à vista, o Vaticano tornou-se o centro do tráfico de documentos de identidade falsificados, passaportes e documentos de viagem forjados, além de dinheiro para ajudar nazistas e colaboradores que procuravam fugir para não ser capturados pelos aliados. Roma também se tornou o ponto inicial de um conduto para a liberdade de ex-nazistas e conhecidos anticomunistas considerados potencialmente valiosos em um confronto pós-guerra que se esperava ocorrer entre o império ímpio comandado pelo Kremlin em Moscou e as nações da cristandade.

Até onde o papa Pio XII e a burocracia do Vaticano se envolveram no êxodo de nazistas do alto e do baixo escalão, assim como outros homens procurados, continua a ser um segredo guardado nos arquivos secretos. Por isso, a documentação dos mecanismos e rotas de fuga ficou a cargo de historiadores, jornalistas investigativos e organizações judaicas que investigam criminosos de guerra. Em graus variados, todos encontraram indicadores apontando na direção do Vaticano.

"Quando ficou evidente que criminosos de guerra como Klaus Barbie, Adolf Eichmann, Heinrich Mueller, Franz Stangl e outros de uma grande lista haviam escapado", a figura central na ajuda a todos era o bispo Alois Hudal. Reitor do Pontificio Santa Maria dell´Anima, ele havia "servido como comissário para o episcopado dos católicos de língua alemã na Itália, assim como padre confessor da grande comunidade alemã em Roma". Nascido em Graz, Áustria, em 1885, ele estudou teologia (1904–1908), sendo ordenado sacerdote em julho de 1908. Em 1911 obteve o doutorado em teologia em Graz e entrou para o Pontificio Collegio Teutonico de Santa Maria dell´Anima em Roma, onde foi capelão (1911–1913). Na Primeira Guerra Mundial serviu como capelão militar auxiliar e publicou seus sermões para os soldados, *Soldatenpredigten*, nos quais expressava a ideia de que "lealdade à bandeira é lealdade a Deus". Em 1923 foi nomeado reitor do Santa Maria dell´Anima. Em 1930 foi nomeado consultor do Santo Ofício. Em 1937, publicou um livro intitulado *The Foundations of National Socialism*, em que apoiava Hitler entusiasticamente. Quando o papa Pio XI e o futuro papa Pio XII (Eugenio Pacelli) expressaram sua desaprovação em relação ao livro, cortaram todos os contatos com Hudal. Depois de ter sido um convidado popular e influente no Vaticano, ele subitamente ficou isolado no Santa Maria dell´Anima enquanto Mussolini se tornava o aliado de Hitler na Segunda Guerra Mundial.

Ainda no posto de reitor do Santa Maria dell´Anima quando a guerra acabou, Hudal foi subitamente colocado em uma posição para ajudar refugiados de guerra em campos de concentração por causa de um acordo dos aliados a pedido do papa Pio XII. Sua Santidade havia solicitado que um representante do Vaticano pudesse prestar "assistência religiosa aos prisioneiros católicos, bem como

Adolf Eichmann

exercer essa missão de caridade própria da Igreja levando algum conforto aos aflitos". A permissão foi concedida pelo representante pessoal do presidente Franklin Roosevelt junto ao papa. Algumas semanas depois, o Vaticano solicitou que um representante tivesse permissão para visitar "os prisioneiros civis alemães na Itália". A solicitação indicava o bispo Hudal como "diretor espiritual da Santa Sé para o povo alemão residente na Itália".

Descrevendo a solicitação como "bastante peculiar", Mark Aarons e John Loftus, autores de *Unholy Trinity*, consideraram "impressionante o fato de a Santa Sé escolher o mais notório bispo pró-nazista de Roma para essa missão extremamente sensível, quando era de amplo conhecimento que esses campos 'civis' estavam repletos de nazistas fugitivos que haviam se desfeito dos uniformes e estavam se escondendo entre fugitivos legítimos".

Quando a existência de um bispo em Roma com condições de ajudar pessoas desalojadas se tornou conhecida em todos os campos de refugiados, espalhou-se entre os ex-nazistas a notícia de que ele era simpático à sua situação, e que Hudal tinha os meios para facilitar sua fuga. Entre os documentos que ele poderia fornecer estavam um cartão de identidade do Vaticano e papéis da Cruz Vermelha, junto com passagens e vistos.

Segundo o caçador de nazistas Simon Wiesenthal, a linha de rato comandada pelo bispo Hudal facilitou a fuga de Adolf Eichman, principal arquiteto da "solução final para o problema judeu" com o extermínio nos campos de concentração; Franz Stangl, comandante do campo de Treblinka e de Sobibor; Alois Brunner, subcomandante de Sobibor; Gustav Wagner, subcomandante de Sobibor; e Walter Rauff, amigo de Hudal, ambicioso oficial da SS que supervisionara um programa de desenvolvimento de câmaras de gás móveis.

No livro *Into That Darkness: An Examination of Conscience*, baseado nas setenta horas de entrevistas com Franz Stangl, Gitta Sereny descreve como "o bispo Hudal estava esperando Stangl (...) e estava arrumando passaportes, um visto de saída e papéis para que ele pudesse trabalhar na América do Sul. Hudal providenciou um lugar para Stangl dormir, transporte por carro, avião e navio, e parecia ter muito dinheiro para (...) propinas e emergências que pudessem surgir". Stangl e outros "fugitivos nazistas podiam obter um documento de identidade com Hudal e solicitar um passaporte ao escritório da Cruz Vermelha Internacional. Se, entretanto, um fugitivo nazista tivesse exercido alguma função direta no assassinato de judeus, então um intermediário era enviado ao escritório da Cruz Vermelha para obter os documentos necessários, porque havia dezenas de judeus no escritório todos os dias. (...) Havia o grande perigo de um judeu sobrevivente reconhecer um ex-oficial de um campo de concentração. (...) Quando os fugitivos obtinham uma nova identificação, podiam aventurar-se em segurança por um dos refeitórios populares do Vaticano, da Cruz Vermelha ou da ONU", onde se misturavam com outros refugiados e vagavam por Roma até chegar a hora de seguir uma rota tortuosa para um destino no exterior, geralmente na América do Sul e principalmente na Argentina.

Falando sobre a linha de rato, sobre o bispo Hudal e o frade Draganovic, o padre Robert Graham, historiador oficial do Vaticano, afirmou: "Só porque Draganovic é um padre, não significa que representa o Vaticano. A operação foi dele. Ele não é o Vaticano".

Em outubro de 1946, um funcionário do Departamento do Tesouro, Pearson Bigelow, informou o diretor do departamento de pesquisa financeira que fascistas croatas pró-nazistas haviam retirado valores no total de 240 milhões de dólares da Iugoslávia no final da guerra. O documento com data de 21 de outubro de 1946 dizia: "Aproximadamente 200 milhões de francos suíços foram guardados no Vaticano por questões de segurança".

Outros documentos mostravam que Bigelow recebera informações confiáveis da OSS sobre a riqueza nazista mantida em contas de um determinado banco suíço. O memorando de Bigelow citava uma "fonte confiável na Itália" que dizia que "a organização Ustase, governo nazista instalado na Croácia durante a guerra, havia retirado 350 milhões de francos suíços de fundos iugoslavos que havia confiscado. O memorando dizia que 150 milhões de francos suíços haviam sido confiscados pelas autoridades britânicas na fronteira austro-suíça e o restante era mantido no Vaticano (...) e que havia boatos de que uma parte considerável do dinheiro mantido pelo Vaticano fora enviada para a Espanha e Argentina por meio de um conduto do Vaticano".

Cinquenta anos depois, após uma conferência em Londres a respeito do ouro nazista que poderia ter ido para o Banco do Vaticano, "o principal porta-voz do Vaticano, Joaquín Navarro-Valls, (...) comentou: 'No que diz respeito ao ouro tomado pelos nazistas na Croácia, pesquisas nos arquivos do Vaticano confirmam que não existem documentos em relação a isso, o que descarta qualquer suposta transação por parte da Santa Sé'".

Negando prontamente as informações de que teria guardado dinheiro e ouro para os fascistas croatas após a Segunda Guerra Mundial, o Vaticano disse que não planejava abrir seus arquivos do período, e que uma busca nos arquivos confirmara a inexistência de documentos relativos a qualquer "suposta" transação com ouro "por parte da Santa Sé".

"Em novembro de 1999 foi ajuizada uma ação na Corte Federal de São Francisco. Os reclamantes eram sobreviventes de campos de concentração de origem sérvia, ucraniana e judaica e seus parentes, além de organizações representando mais de 300 mil vítimas do Holocausto e seus herdeiros. Os queixosos queriam o levantamento e restituição do ouro do Tesouro da Ustase que, segundo o Departamento de Estado dos Estados Unidos, havia sido transferido ilegalmente para o Vaticano, a Ordem Franciscana e outros bancos após o final da guerra. Entre os réus estavam o Vaticano e a Ordem Franciscana. Esses réus se uniram para esconder bens saqueados, pelos nazistas croatas, das vítimas de campos de concentração, sérvios, judeus, ciganos e outros, entre 1941 e 1945."

"Existe uma testemunha conhecida dessa suposta lavagem de dinheiro feita pelo Vaticano e pelos franciscanos: o ex-agente especial da contrainteligência do exército norte-americano William Gowen. Segundo seu depoimento, o funcionário do Vaticano frade Krunoslav Draganovic admitiu para Gowen que em 1946 recebera até dez caminhões carregados com saques na Fraternidade Croata de San Girolamo controlada pelos franciscanos em Roma. Gowen também afirmou que o líder do comboio com o tesouro, o coronel da Ustase Ivan Babic, se vangloriava de ter usado caminhões e uniformes britânicos para levar o ouro do norte da Itália para Roma. Quanto ao destino final do tesouro da Ustase, Gowen disse que não poderia ter ido para outro lugar a não ser o Banco do Vaticano. (...)

"Segundo Gowen, Draganovic (...) admitiu ser o cérebro por trás do contrabando e depósito do tesouro da Ustase no Banco do Vaticano", e que Draganovic se reportava diretamente ao cardeal Giovanni Montini (futuro papa Paulo VI).

Em janeiro de 2006, o jornal israelita *Haaretz* publicou um artigo *on-line* em que usava o testemunho de Gowen para acusar o cardeal Montini de envolvimento na lavagem de dinheiro para que criminosos de guerra nazistas fugissem pelas "linhas de rato".

Em um discurso para uma convenção do Congresso da Unidade Sérvia em Toronto, em outubro de 2000, Jonathan Levy, advogado de vinte e oito sérvios, judeus e outros "que perderam seus pais e avós para o terror ustase" na Croácia durante a Segunda Guerra Mundial, disse que o objeto de uma ação coletiva ajuizada na Corte Federal de São Francisco contra o Banco do Vaticano e a Ordem Franciscana era "a imensa quantidade de propriedades, dinheiro, ouro, terras, fábricas e outros bens saqueados e roubados pela Ustase e pelo Estado Independente da Croácia entre 1941 e 1945".

Levy afirmou que "o movimento ustase roubou uma riqueza imensa de suas vítimas. O genocídio na Croácia e na Bósnia contra os sérvios foi não apenas o mais bárbaro do século como tivera o objetivo do lucro. Os criminosos de guerra se certificaram de que os sérvios tivessem todos os seus bens tomados, incluindo os dentes de ouro e as alianças de casamento das vítimas do campo de concentração de Jasneovac. Enquanto a guerra caminhava para o fim, o aparelho financeiro da Ustase funcionava a todo vapor. Os chefões da Ustase foram posicionados em Roma e na Suíça, contas de banco foram abertas no Banco Nacional da Suíça".

O saque incluiu "ouro, prata, joias e dinheiro no valor de dezenas de milhões", disse Levy. "Outros ustases chegaram à Itália onde os aguardava a ajuda da Ordem Franciscana na forma de casas seguras, papéis falsos e dinheiro." O líder croata Ante Pavelic "fez um acordo com os britânicos, o dinheiro mudou de mãos e o assassino de 200 mil sérvios, judeus e ciganos tornou-se convidado de honra do Vaticano, circulando por Roma com motorista em um carro com placas diplomáticas do Vaticano e vivendo em sua própria residência com guardas ustases cuidando de sua segurança pessoal.

"Os ustases eram mestres do contrabando, códigos secretos e transações financeiras. (...) Quase que imediatamente, os ustases, com a ajuda de seus patrocinadores do Vaticano e franciscanos, formularam um plano ousado (...) para abastecer uma migração em massa de criminosos de guerra." Alguns historiadores escreveram que o objetivo da ajuda aos nazistas se baseava no desejo de que homens como Draganovic eventualmente organizassem uma força para resistir à tomada dos Bálcãs pelos soviéticos.

Opondo-se à ação judicial, o Vaticano afirmou que as cortes norte-americanas não poderiam assumir o caso, pois estava fora de sua alçada. Concordando com o argumento, o Tribunal Federal de São Francisco rejeitou a ação, mas a decisão foi revertida em 2005 por decisão da Corte de Apelações do Nono Circuito. Em dezembro de 2007, "o tribunal distrital indeferiu o Banco do Vaticano, dessa vez em razão da imunidade soberana", com base no reconhecimento da Santa Sé como Estado independente sob o Tratado de Latrão com a Itália. Enquanto os reclamantes recorriam novamente à Corte de Apelações do Nono Circuito, o caso contra os franciscanos prosseguia no tribunal distrital.

Embora a Ordem Franciscana tenha sempre negado qualquer vínculo com o regime da Ustase na Croácia durante a guerra, a ordem foi acusada de agir como "facilitadora e intermediadora no transporte do conteúdo do Tesouro Ustase da Croácia para a Áustria, Itália e finalmente para a América do Sul após a guerra. Durante a ocupação nazista da Bósnia, os franciscanos se envolveram com o regime ustase em um lugar não muito distante de Medjugorje, na Bósnia", local de um santuário onde se dizia que a Virgem Maria havia aparecido.

Para consternação das vítimas da Ustase, o papa João Paulo II visitou a Croácia em 1998 "para anunciar a beatificação do cardeal Stepinac", elevando-o ao último patamar antes da santificação. Sérvios e outras etnias que se lembravam de que Stepinac havia dado sua bênção à Ustase estremeceram quando 400 mil fiéis se reuniram em torno do principal santuário dedicado à Virgem Maria na Croácia para ouvir João Paulo II saudar Stepinac "como um herói" por sua "resistência ao comunismo e sua recusa em separar a Igreja croata do Vaticano".

Sem nunca ter sido acusado de crimes de guerra ou formalmente acusado pelo desvio do tesouro roubado para o Banco do Vaticano, o padre Krunoslav Draganovic, que veio a ser conhecido como "o padre de ouro", passou vários anos depois da guerra envolvido em atividades nos Bálcãs, que oscilavam entre o nefasto e o duvidoso, antes de voltar para a Iugoslávia, onde morreu em 1983.

Capítulo II

UM ACESSO DE LOUCURA

Membro da Guarda Suíça

Em uma história misteriosa com três pessoas mortas, um bilhete suicida supostamente falso, brigas por causa da cena do crime e autópsias, discussão por causa das balas, insinuações sobre ligações com a Opus Dei e acusações de uso de drogas no Vaticano, digna de um romance de mistério ou de um *thriller* hollywoodiano, o comandante da força de segurança pessoal do papa João Paulo II, a Guarda Suíça, e sua esposa foram assassinados no dia 4 de maio de 1998 por um jovem oficial, belo e impetuoso, que depois atirou contra si mesmo.

A Santa Sé insistiu na versão de que o assassino estava inconformado por ter sido preterido na obtenção de uma medalha. Outra versão dizia que o comandante e o oficial eram amantes. Uma terceira teoria afirmava que o comandante havia sido assassinado depois que funcionários do Vaticano descobriram que ele atuara como espião da Stasi, polícia secreta da Alemanha Oriental, nos anos 1980. Os teóricos da conspiração e fãs de *O Código Da Vinci* invocaram a possibilidade de um complô sinistro da Opus Dei. Em 500 anos de história, os membros da Guarda Suíça jamais se envolveram em escândalos.

Vestida com "túnicas com as cores vermelha, amarela e azul, capacetes emplumados no estilo conquistador e reluzentes alabardas medievais de cerca de dois metros de comprimento — uma combinação de lança e machado —, a Guarda Suíça foi criada pelo papa Júlio II em 1506". Para fazer parte da guarda, o homem deve ter nacionalidade suíça; ser solteiro, católico e filho legítimo; ter menos de trinta anos, pelo menos um metro e setenta e quatro centímetros de altura e treinamento militar; deve ser saudável, sem marcas desfigurantes no corpo. Quem quer que não esteja apto para o serviço militar na Suíça será igualmente recusado na guarda. O candidato deve apresentar "um certificado de conclusão do ensino médio, (...) certificado de batismo e cartas de recomendação quanto ao seu caráter, todas assinadas por autoridades de sua paróquia. Após um ano de boa conduta, o custo da viagem para Roma é reembolsado. (...) Aqueles que desejarem deixar a guarda podem fazê-lo após aviso com três meses de antecedência. Após dezoito anos de serviços prestados, cada membro da guarda adquire o direito de receber uma pensão vitalícia equivalente à metade do seu salário; depois de vinte anos, equivalente a dois terços do seu salário; depois de vinte e cinco anos, equivalente a cinco sextos e depois de trinta anos equivalente ao salário total".

Ao se inscreverem, os guardas assinam um contrato de dois anos, renováveis; os recrutas juram dar a vida, se necessário, para defender o supremo pontífice. Eles declaram: "Juro servir fielmente, lealmente e honradamente o supremo pontífice [nome do papa] e seus sucessores legítimos e também me dedicar a eles com todas as minhas forças, sacrificando se necessário também minha vida para defendê-los. Assumo esse mesmo compromisso em relação ao Sagrado Colégio Pontifício sempre que a Sé estiver vacante. Além disso, prometo respeito, fidelidade e obediência ao capitão comandante e aos meus superiores. Isso eu juro! Que Deus e nossos santos padroeiros me ajudem!"

Os cem guardas suíços constituem o único corpo armado do Vaticano desde que o papa Paulo VI dissolveu outras três unidades em 1970: a Gendarmeria Pontifícia, a Guarda Nobre e a Guarda Palatina.

A Guarda Suíça é remanescente do corpo militar que os papas tiveram à sua disposição desde a Idade Média até meados do século XIX, quando controlavam grande parte da Itália central. A Guarda Suíça assumiu oficialmente seus deveres "quando o papa Júlio II, conhecido como o Papa Guerreiro, reconheceu que precisava de proteção especial. Ele se voltou para as reconhecidas e taticamente bem treinadas forças da Suíça" e solicitou um contingente de soldados suíços para sua proteção e de seu palácio. Em dezembro de 1505, 150 soldados suíços começaram sua marcha em direção a Roma. Eles entraram na cidade eterna em 21 de janeiro de 1506 e se aquartelaram nos estábulos do papa. No dia seguinte foram abençoados por Júlio, que lhes concedeu o título de "Defensores da Liberdade da Igreja".

Vinte e um anos depois, no dia 6 de maio de 1527, 147 de 189 homens foram mortos em uma ação para defender o papa Clemente VII de um ataque das forças espanholas. A única mancha nos registros da guarda ocorreu em 1798. Quando Napoleão ocupou Roma, ele capturou e deportou o papa Pio VI e depois dispersou a guarda papal. Outras unidades de guardas suíços conhecidas por suas proezas em combate foram mantidas e integradas às fileiras do exército de Napoleão. Depois que as tropas de Hitler entraram em Roma na Segunda Guerra Mundial, os guardas suíços vestiram uniformes cinza e assumiram posições atrás de metralhadoras e morteiros. Em número bem menor, estavam preparados para sacrificar a vida por Pio XII, mas, obedecendo à ordem de Hitler, os alemães não atacaram o Vaticano.

"Atualmente, a autoridade temporal do papa se limita ao enclave da Cidade do Vaticano, com cerca de 44 hectares. (...) Os guardas suíços realizam funções cerimoniais, mas também montam guarda do lado de fora dos apartamentos papais e nas quatro entradas principais do Vaticano. Acompanham o papa em suas viagens (...) e colaboram com outras forças de segurança da Igreja e com a polícia (...) para garantir a proteção do papa. Atualmente, os guardas carregam gás lacrimogêneo para o controle de multidões e treinam semanalmente com pistolas e revólveres em um campo de tiro do exército italiano." A força geralmente é formada por um comandante (com posto de coronel) e três oficiais, um capelão, vinte e seis suboficiais (sargentos e cabos) e setenta e oito soldados (alabardeiros, pois carregam as alabardas). Apesar de treinados e equipados com táticas e armas modernas, também recebem instruções no uso da espada e da alabarda.

"Seu uniforme oficial foi mudado em 1915. Trata-se de uma malha com características da Renascença. Segundo uma crença popular equivocada, esses uniformes teriam sido criados por Michelangelo. O uniforme de trabalho é mais funcional, consistindo de um macacão azul e boina preta. Os dois uniformes são usados pelos guardas quando em serviço na Cidade do Vaticano."

"Todos os oficiais realizam deveres de guarda todos os dias, bem como em missas, audiências e recepções. (...) Os oficiais e o comandante geralmente usam roupas civis quando em serviço (...) O capelão tem um título equivalente ao de tenente-coronel do exército. O quartel da guarda é formado por dois edifícios estreitos e paralelos, junto da Torre de Nicolau V, formando dois átrios. O átrio interno é adjacente ao palácio, no outro há um portão que leva diretamente à cidade. A guarda tem sua própria capela, a igreja de São Martinho e São Sebastião, construída por Pio V em 1568."

Jacques-Antoine Fierz, membro da Guarda Suíça, escreveu em 4 de maio de 1989 na revista *Newsweek*: "É preciso ser um tipo de homem especial para trocar a vida tranquila dos cantões suíços por um quartel em terra estrangeira. Afinal, não é um trabalho cheio de recompensas materiais. Longas horas de trabalho — sessenta ou setenta horas semanais, quando não há um trabalho extraordinário; o pagamento é de apenas mil dólares mensais, muito menos do que um soldado italiano recebe. Não é fácil ficar parado como uma estátua durante várias horas segurando uma lança pesada. E somos todos sujeitos normais que vivem como todos os outros jovens da nossa idade. Saímos com os amigos da vizinhança, tomamos umas bebidas com nossos colegas e contamos histórias de trabalho uns para os outros.

Alguns têm namoradas. Ser soldado do papa não implica em voto de celibato, e não é raro um guarda voltar para casa com uma esposa que conheceu em Roma. Mas há muito pouco tempo livre e a checagem nos dormitórios é feita sempre à meia-noite, todos os dias".

Aos quarenta e três anos, o coronel Alois Estermann "era o veterano de dezoito anos da Guarda Suíça que se notabilizou por proteger o corpo do papa com o seu durante a tentativa de assassinato na praça de São Pedro em 13 de maio de 1981". Ele estava a alguns centímetros de João Paulo II quando Mehmet Ali Agca tentou matar o papa; Estermann era próximo do pontífice; acompanhara-o em mais de trinta viagens ao exterior e também em seus retiros anuais.

"Descrito por seus homens como um soldado profissional bastante severo, Estermann tinha realizado a grande ambição de sua vida ao meio-dia" do dia 4 de maio de 1998, quando o papa João Paulo II o confirmou no cargo de comandante da Guarda Suíça. Sua esposa, Gladys Meza Romero, de quarenta e nove anos, "era uma estonteante ex-modelo venezuelana que trabalhava na biblioteca da embaixada da Venezuela. Casados desde 1983, não tinham filhos". Eram considerados um casal modelo por todos na Guarda Suíça e na hierarquia do Vaticano.

Desde que seu antecessor, Roland Buchs, se aposentara, "Estermann aguardara por seis meses sua confirmação como comandante da guarda. (...) Tradicionalmente, o cargo é ocupado por um nobre suíço, e Estermann era um plebeu. Mas estava difícil manter a tradição, principalmente para uma função com remuneração em torno de 30 mil dólares anuais". Estermann foi um dos quatro não aristocratas escolhidos para comandar a guarda em seus quase cinco séculos de existência.

"Ao terminar o segundo período de seu alistamento de dois anos na guarda", o cabo Cedric Tornay, de vinte e três anos, "que estava com sua segunda noiva italiana, havia sido citado cinco vezes por não estar presente durante a verificação de presença à meia-noite e criticado por beber demais e falar palavrões. (...) Estermann havia feito a Tornay uma advertência por escrito. Ele o preteriu na concessão de medalhas que seriam entregues (...) em uma cerimônia anual, quando Alois Estermann seria confirmado publicamente como comandante."

Em algum momento do dia 4 de maio de 1998, Tornay escreveu uma carta para sua mãe em que dizia: "*Mama*, espero que me perdoe, pois foram eles que me fizeram fazer o que fiz. Neste ano eu deveria receber a condecoração (*la Benemerenti*), mas o tenente-coronel se recusou a dá-la. Depois de três anos, seis meses e seis dias suportando todos os tipos de injustiça, ele se recusou a me dar a única coisa que eu queria. Tenho um dever com todos os guardas e também com a Igreja Católica. Jurei dar a minha vida pelo papa, e é isso o que estou fazendo. Perdoe-me por deixar todos vocês, mas o dever me chama. Diga a Sarah, Melinda e ao papa que amo vocês. Cedrich".

Por volta das 19h20 a carta foi confiada a um colega.

Uma hora depois, Tornay telefonou para um padre suíço que ele conhecia desde a infância. Deixou uma mensagem na secretária eletrônica. "Padre Ivano, por favor, me ligue de volta", Tornay falou com um tom de urgência. "É uma emergência."

Vestindo *jeans* e uma jaqueta de couro preta, ele atravessou o pátio debaixo de chuva, passou sob a janela iluminada do apartamento do papa João Paulo II e chegou ao prédio da Guarda Suíça próximo ao palácio.

Uma freira ouviu quando ele subiu as escadas apressadamente. Ela olhou, mas não viu nada.

Tornay entrou no apartamento de Estermann por volta das 21 horas. "Estermann estava falando ao telefone com um sacerdote amigo quando os tiros foram disparados.

"Às 21h05, as três pessoas no apartamento estavam mortas."

Poucos minutos após ser chamado apressadamente ao local por um vizinho, o porta-voz papal, Joaquín Navarro-Valls, trancou o apartamento de Estermann. Ninguém pôde entrar, nem mesmo a polícia italiana. Três horas depois, Navarro-Valls fez um pronunciamento em nome do Vaticano: "O comandante da Pontifícia Guarda Suíça, coronel Alois Estermann, foi encontrado morto em sua residência junto com a esposa, Gladys Meza Romero, e o cabo Cedric Tornay. Os corpos foram descobertos pouco depois das 21 horas por um vizinho do apartamento ao lado, que ouviu o barulho. Pela investigação inicial é possível afirmar que os três morreram por disparos de uma arma de fogo. Sob o corpo do cabo foi encontrada a arma que ele usava em serviço. As informações que temos até o momento apontam para a teoria de 'um acesso de loucura' do cabo Tornay".

Observando que as autoridades da Santa Sé diziam que esse era o primeiro assassinato no Vaticano em 150 anos, a revista *Newsweek* noticiou a explicação dada pelo Vaticano, mas citou a existência de dúvidas. Para um caso que deveria ser aberto e fechado, disse a revista, "o Vaticano não poderia convencer todo mundo de que havia contado toda a trágica história".

"O Vaticano não nos contará toda a verdade sobre a morte do meu irmão", disse a irmã de Tornay, Melinda.

A mãe do soldado, Muguette Baudet, disse que falou com o filho por telefone na véspera dos assassinatos. "Ele não estava irritado ou amargo", ela disse. "Se estivesse contrariado, isso não seria suficiente para matar alguém."

Um tabloide de Berlim citou fontes anônimas que alegavam que Estermann teria suplementado seu parco salário vendendo segredos do Vaticano para a Stasi, a notória polícia secreta da Alemanha Oriental. Colunistas italianos fizeram especulações sobre um triângulo amoroso com final infeliz. "O relacionamento não poderia ser outro senão de natureza homossexual", afirmou Ida Magli, conhecida antropóloga, ao diário romano *Il Messaggero*.

Frank Grillini, chefe da Arcigay, principal organização *gay* da Itália, declarou: "A Santa Sé queria fechar rapidamente o caso, talvez por necessidade de esconder uma verdade triste e preocupante. Há anos que se sabe que muitos guardas suíços são homossexuais. Esses homens ficam isolados e enclausurados, e é por isso que vemos essas tendências *gays* na Guarda Suíça e em todas as instituições do Vaticano".

O Vaticano negou a acusação de espionagem como insinuação desprezível e se esforçou para negar os boatos de motivação sexual para os assassinatos.

"O quartel é um gueto", disse Hugues de Wurstemberg, ex--guarda que vivia na Bélgica. "É como um cozido na panela de pressão. Muito álcool, histórias de roubo, boatos de homossexualidade, deserções, rancor."

"É uma vida dura, e esses caras são jovens", disse Mario Biasetti, cineasta norte-americano que passou dois anos com os guardas para produzir um documentário intitulado *Soldiers of the Pope* (Soldados do papa). "Mas eles também são muito sérios em relação aos seus deveres, e são todos voluntários. Se não gostarem, ficam apenas dois anos."

"O triplo homicídio foi o último de uma série de episódios violentos ligados ao papado", segundo a *Newsweek*. "Em janeiro, o corpo de Enrico Sini Luzi foi encontrado em seu elegante apartamento próximo ao Vaticano. Nobre que servia como cavalheiro do papa, ele foi espancado até a morte com um candelabro antigo. Até a morte, Luzi havia servido como porteiro papal, apesar de ter sido preso alguns anos antes por fazer sexo em um banheiro público, supostamente com um padre. Um garoto de programa foi acusado pelo assassinato de Luzi. Pouco depois, um homossexual siciliano colocou fogo no próprio corpo na praça de São Pedro para protestar contra a posição da Igreja Católica em relação à homossexualidade.

"No ano anterior, haviam sido descobertos três complôs para colocar bombas no caminho do papa. (...) Quando o diretor da CIA, George Tenet, visitou Roma no final de 1977, forças diplomáticas ocidentais disseram que era para falar com o secretário de Estado, cardeal Angelo Sodano, e alertá-lo sobre terroristas que podiam estar visando o pontífice. (...)

"Agindo rapidamente para tentar evitar qualquer dano à moral" dos guardas após o assassinato de Estermann, "o Vaticano trouxe de volta para o comando o popular Buchs. Mas do lado de fora dos muros do Estado papal, houve quem sugerisse que a Guarda Suíça

Papa Júlio II

deveria ser desarmada novamente ou mesmo substituída por uma força policial moderna". Contestando essa ideia, o cardeal Amedee Grab disse: "Sem a Guarda Suíça, ou com uma Guarda Suíça desarmada, seria impossível garantir a segurança do papa".

"O funeral de Estermann e sua esposa foi concelebrado por dezesseis cardeais e trinta bispos na basílica de São Pedro. Todos os guardas disponíveis compareceram, perfilando-se com serenidade e impassivamente durante a missa. Antes do início do serviço, o papa João Paulo II rezou diante dos três caixões, dispostos lado a lado. Os oficiais do Vaticano deram a Tornay um funeral digno, apesar de a Igreja condenar o suicídio. Seus amigos romanos se aglomeraram na igreja de Santa Ana, dentro do Vaticano. Os guardas suíços também compareceram, com muitos deles chorando abertamente, o que não fizeram por Estermann. A banda dos guardas tocou *Der Gute Kamerade* (Eu tinha um camarada), tradicional lamento em funerais militares alemães."

Em sua edição de 18 de maio de 1998, a *Newsweek* apresentou um relato de Jacques-Antoine Fierz sobre a vida dos guardas suíços. Tendo sido membro de 1992 a 1995, ele voltara "a Roma para participar das cerimônias anuais conhecidas como Dia do Juramento, em que os guardas suíços (...) renovam suas alianças. Em vez disso, participou de um funeral".

"Dizem que somos o cartão de visitas do papa, o melhor do Vaticano", ele disse. "E ali estavam três mortos entre nós, três mortes absurdas — uma perda que feriu a todos profundamente. Só maledicentes invejosos falam mal da Guarda Suíça, e entre esses estão aqueles que disseminam essas teorias provocadoras de que Cedric Tornay e Estermann eram homossexuais. É impossível, inconcebível. Vivemos e trabalhamos com tanta proximidade, que certamente saberíamos se estivesse acontecendo uma coisa dessa. Não aconteceu. Aqueles que falam o contrário têm inveja do prestígio que a Guarda Suíça conquistou ao longo de sua história. (...)

"Os suíços que se tornam soldados do papa são apenas jovens com altos ideais que assumem enormes responsabilidades, aqueles que querem colocar sua vida a serviço de um homem e de todos os que ele representa.

"Não conheço um único guarda que realmente se importasse com as longas horas de trabalho ou tarefas", ele disse. "A grande maioria de nós tem uma forte afinidade com a Igreja, o pontífice e a vida militar, e a disciplina e a aventura que isso representa. E não é algo ruim aprender outra língua ou viver em uma das cidades mais bonitas do mundo. Também não posso negar a fascinação de fazer parte do exército mais antigo do mundo em atividade. E admito que é outra coisa poder vestir aqueles uniformes coloridos, por mais fora de moda que possam parecer. Se pareço muito entusiasmado, é porque me lembro da minha época no Vaticano muito positivamente, em especial do espírito de camaradagem. Isso é o que torna essa tragédia tão tristemente incompreensível. Conversei com muitos guardas depois dos assassinatos e todos disseram a mesma coisa — foi tão sem sentido, tão impossível de imaginar. Concordo. Estermann foi meu tenente-coronel. Tinha qualidades humanas maravilhosas, era um oficial correto e crédulo exemplar. Sua esposa, Gladys, era agradável e bem-educada. Lembro de Cedric Tornay como alguém muito gentil. (...) Foi um ato de um homem louco, não de Tornay, o guarda."

"Depois de uma investigação interna de nove meses, cujo relatório permaneceu secreto, o Vaticano repetiu a afirmação de que Tornay agiu tomado por um acesso de loucura, dizendo que foram encontrados vestígios de maconha na urina de Tornay, e um cisto 'do tamanho de um ovo de pomba' em sua cabeça, o que ajudava a explicar a 'loucura'."

Um ano após os assassinatos, um grupo de sacerdotes descontentes afirmou que Estermann tinha sido vítima de uma luta pelo poder dentro do Vaticano. Autodenominando-se "discípulos da verdade", eles alegavam que as provas haviam sido adulteradas para se ajustar à hipótese de que o assassinato era o resultado de um momento de loucura por parte de Tornay. Em um livro intitulado *Blood Lies in the Vatican* (Mentiras de sangue no Vaticano), eles disseram que havia uma disputa entre o movimento católico tradicionalista Opus Dei e uma facção maçônica na cúria pelo controle da Guarda Suíça.

"No Vaticano, existem aqueles que sustentam que o cabo Tornay foi atacado depois de ter encerrado suas tarefas e arrastado para um porão", dizia o livro. Tornay foi então "suicidado" com uma pistola de sete milímetros, e seu revólver de serviço foi usado para matar Estermann em seu apartamento no Vaticano. O corpo de Tornay foi então jogado no apartamento de Estermann para que o triplo assassinato parecesse um assassinato suicídio.

O livro alegava que "Estermann e sua esposa (...) estavam envolvidos em operações financeiras internacionais que beneficiavam a Opus Dei".

Aqueles que enxergavam uma conspiração afirmaram que um inquérito do Vaticano havia sido fraudado, assim como o caso do assassinato de João Paulo I vinte anos antes, e o caso do assassinato de Roberto Calvi. Disseram que "uma verdadeira encenação foi montada à meia-noite, quando uma ambulância do Fundo de Assistência à Saúde do Vaticano (...) fingiu transportar 'três corpos' para o Hospital Policlínica Gemelli, quando (...) as três vítimas foram na verdade colocadas em macas que os alabardeiros transportaram para o necrotério do Vaticano, perto da igreja de Santa Ana. Era imperativo impedir que ocorresse uma autópsia fora do Vaticano ou nas dependências do Fundo de Assistência à Saúde. Por isso os três corpos foram levados sem os cuidados geralmente tomados em investigações criminais, (...) colocados no corredor do necrotério e depois cobertos com lençóis".

Os teóricos da conspiração disseram que "o inquérito foi entregue ao único juiz do Estado do Vaticano, Gianluigi Marrone. Ele decidiu que a autópsia seria feita no dia seguinte, dentro do Vaticano, pelos patologistas forenses Pietro Fucci e Giovanni Arcudi, em quem se podia confiar para fazer o que era necessário".

Em 2003, o escritor anglo-francês John Follain apresentou conclusões espantosas em seu livro *City of Secrets: The Startling Truth*

Behind the Vatican Murders (Cidade de Segredos: a espantosa verdade por trás dos assassinatos do Vaticano). Autor de livros a respeito da máfia e de Carlos, o Chacal, Follain afirmou que a explicação oficial para a morte de Estermann, de sua esposa e de Tornay era "uma ação de acobertamento apressada" ligada a uma força de proteção papal em que "a homossexualidade era comum, com pelo menos um quarto da Guarda Suíça composta de *gays*, com a moral baixa e precisando desesperadamente de uma reforma". Follain concordava que "Tornay era o assassino, mas disse que descobriu um pântano de abuso, discriminação e sofrimento por trás do gesto desesperado do jovem guarda. 'A decisão de não conceder a Tornay a medalha foi o fato que desencadeou os acontecimentos', ele disse. 'Mas não foi um ato de loucura: foi premeditado.'

"Outras queixas vinham remoendo o franco-suíço Tornay. Ele sofria preconceito e discriminação da maioria dos suíço-germânicos da força. Acreditava que a Guarda Suíça era amadora e não estava à altura da tarefa de proteger o papa e havia pedido mudanças urgentes. Ninguém o ouviu. Ele também tivera uma relação homossexual com Estermann, que o magoara trocando-o por outros amantes."

A mãe de Tornay afirmou que a carta endereçada a ela era uma farsa engendrada por alguém que o conhecia bem. Ela observou que estava endereçada com o nome de "Chamorel", mas seu filho sempre usava seu nome de solteira, Baudet. Grafólogos suíços confirmaram que Tornay não escrevera a carta. Ela também disse que "uma autópsia independente feita em Lausanne estabeleceu que uma bala de sete milímetros matara seu filho — e não de calibre de 9,4 milímetros de uma Stig 75, como dizia a investigação do Vaticano. Ela disse que a autópsia sugeria que seu filho havia sido drogado, depois assassinado e então seu corpo foi colocado no apartamento de Estermann para fazer com que parecesse que ele matara o casal antes de atirar contra si mesmo".

Em 2005, "o renomado advogado francês Jacques Vergès e seu colega Luc Brossollet, atuando em nome da mãe de Tornay, disseram que eles iriam entrar com alegação de assassinato" na Suíça porque

Tornay era suíço. Eles disseram que haviam "enfrentado anos de negação ferrenha por parte do Vaticano".

No dia 7 de maio de 2006, "Bento XVI agradeceu à Guarda Suíça pelos 500 anos de serviço e convidou todos a continuarem sua missão com 'coragem e fidelidade'". O papa disse isso durante uma missa para celebrar o 500º aniversário da chegada a Roma "dos primeiros 150 guardas suíços requisitados pelo papa Júlio II. Foram também lembrados os 147 guardas suíços mortos quando defendiam o papa Clemente VII durante o saque de Roma em 6 de maio de 1527. Em sua homilia feita em italiano, francês e alemão, (...) o Santo Pai disse que seu objetivo para o encontro era prestar uma homenagem ao corpo da Guarda Suíça.

"Para todos, ser um guarda suíço significa dedicar-se sem reservas a Cristo e sua Igreja, estar pronto para dar sua vida", ele disse. "O serviço efetivo pode terminar, mas dentro de cada um há sempre um guarda suíço."

Ele disse que a Guarda Suíça sempre fora constante, até mesmo em 1970, quando Paulo VI dissolveu todos os outros corpos militares do Vaticano, exceto a guarda.

Dois anos depois desses elogios, Bento tirou da Guarda Suíça seu papel de única força encarregada da proteção papal. Alguns de seus deveres passaram para o segundo, e maior, serviço de proteção da Santa Sé, a Gendarmeria do Vaticano. Quando o comandante da guarda, Elmar Theodor Mäder, demitiu-se em protesto, Bento nomeou Daniel Rudolf Anrig, policial veterano de Glarus, um dos cantões suíços e ex-professor de direito civil e canônico da Universidade de Freiburg. O jornal romano *Il Messaggero* sugeriu que "apesar da antiga rivalidade entre as duas forças, Anrig e Domenico Giani", chefe dos 180 gendarmes e ex-oficial da Guardia di Finanza, polícia financeira italiana, "iriam cooperar porque eram 'da mesma faixa etária', graças à política do papa Bento de promover homens e mulheres mais jovens".

Pela primeira vez em 500 anos, a Guarda Suíça que Cedric Tornay queria reformar não era mais a única protetora da segurança física de um papa.

Capítulo 12

ESPIONAGEM DO VATICANO

Alguns dias depois de Cedric Tornay ter assassinado o comandante da Guarda Suíça, os jornais italianos exibiam inúmeros artigos baseados em boatos segundo os quais o coronel Alois Estermann havia sido espião da Alemanha Oriental comunista. Nenhuma prova foi encontrada para fundamentar a acusação, mas os anais do Vaticano contêm evidências de intrigas e espionagem contra e a favor da Santa Sé.

"Há cinco séculos, o Vaticano usa um serviço secreto de espionagem que se chamou Sagrada Aliança, e depois, Entidade. Quarenta papas contaram com esse serviço para colocar em prática suas políticas. Ele tem desempenhado um papel no enfrentamento" de cismas, revoluções, ditaduras, guerras civis e mundiais, assassinatos e sequestros. Segundo o historiador Eric Frattini, "a Entidade esteve envolvida no assassinato de monarcas, envenenamento de diplomatas, financiamento de ditadores na América do Sul, proteção de criminosos de guerra, lavagem de dinheiro da máfia, manipulação de mercados financeiros, falência de bancos e financiamento para a venda de armas mesmo em guerras condenadas, tudo em nome de Deus". O lema da Entidade era "Com a cruz e a espada".

O especialista em espionagem David Alvarez, professor de política da Saint Mary´s College da Califórnia, autor de *Nothing Sacred: Nazi Espionage Against the Vatican, 1939-1945*, em coautoria com o reverendo Robert Graham, e de *Spies in the Vatican: Espionage & Intrigue from Napoleon to the Holocaust*, investigou as redes de "espionagem durante o pontificado de onze papas, começando com Pio VI, que morreu em 1799 como prisioneiro dos franceses durante a Revolução Francesa, e terminando com Pio XII. (...) O período do Congresso de Viena, em 1814, até o fim dos Estados Pontifícios, em 1870, foi o ponto alto da inteligência papal 'para navegar entre as pedras da revolução interna e as inúmeras agressões e intervenções estrangeiras'. Por fim, com o desaparecimento dos Estados Pontifícios, as capacidades de inteligência do papado praticamente desapareceram".

No início do século XX, o monsenhor Umberto Benigni montou uma nova unidade de inteligência doméstica que visava as ideias "modernistas" de católicos liberais. "Sua organização de propaganda e desinformação durou pouco." Do início da Primeira Guerra Mundial até o fim da Segunda Guerra Mundial, o mundo secular sofreu uma revolução na área da inteligência "que ignorou completamente o papado". Entre as guerras, uma "missão secreta do bispo Michael d´Herbigny para restabelecer uma organização da Igreja Católica na União Soviética em 1926 fracassou. A operação secreta foi comprometida desde o início".

Na revista do Vaticano *La Civiltá Cattolica* (A Civilização Católica), o jesuíta norte-americano Robert A. Graham escreveu em 1970 que, entre os anos de 1939 e 1945, "os nazistas desconfiavam do Vaticano e inundaram Roma com padres falsos e espiões leigos para descobrir o que estavam tramando contra eles. Os alemães foram astutos o bastante para entender uma coisa a respeito do catolicismo: é rico em boatos e prospera em rumores. 'No lugar desse mar de informações não confiáveis, precisamos de notícias verdadeiras, que sejam realmente importantes', dizia um relatório de 1943 (...) enviado a Berlim por Ernst von Weizsacker, que, como embaixador para a Santa

Sé, também dirigia uma rede de espionagem alemã" em um esforço para penetrar nos círculos internos do Vaticano.

"Encarregado de desentocar informações autênticas para os alemães, um sacerdote apóstata chamado Georg Elling foi a Roma para estudar a vida de São Francisco de Assis. Na verdade, estava interessado na movimentação dos embaixadores aliados no Vaticano. Outros espiões grampearam telefones, monitoraram transmissões da Rádio Vaticana e interceptaram mensagens telegráficas. O ministro da Aviação alemã desvendou o código usado por Roma para se comunicar com o arcebispo Cesare Orsenigo, seu núncio apostólico em Berlim."

Segundo Graham, "os alemães estavam interessados principalmente em (...) no que chamavam de Ostpolitik des Vaticans (polícia política da Europa Oriental)". Apesar da conhecida hostilidade da Igreja em relação ao comunismo da União Soviética, Hitler estava obcecado com a ideia de que o Vaticano e o Kremlin pudessem formar uma aliança. O estado de alerta se ampliou quando o papa Pio VII "ordenou que dois monsenhores estudassem russo". (...)

"Líderes nazistas como Martin Bormann e Reinhard (O Carrasco) Heydrich também estavam interessados no que Heydrich chamava de 'catolicismo político'. Convencidos de que a Igreja estava tentando estabelecer uma alternativa política ao Partido Nazista na Alemanha, eles monitoravam todos os contatos entre Roma e os bispos alemães à procura de sinais de intrigas."

Depois de pesquisar "os arquivos norte-americanos, alemães e do Vaticano", Graham concluiu que o papa Pio XII tinha "uma vaga consciência do que estava acontecendo. Para ludibriar os alemães, Pio XII contou com a lealdade dos que o cercavam, em vez de contraespionagem. (...) As pessoas próximas do papa, Graham descobriu, guardavam seus segredos (...) 'porque estão ligadas pela fé'. Por isso, os alemães descobriram pouca coisa" como pelo menos cinco agências nazistas com espiões em Roma.

Ainda mais obcecados com o papa como ameaça e inimigo político estavam os homens suspeitos que coordenavam a agência de espionagem da União Soviética.

Ion Mihai Pacepa

Em 2007, o ex-tenente-general romeno Ion Mihai Pacepa escreveu em um artigo para a *National Review Online* que em 1960 o Kremlin de Nikita Kruchev procurou desacreditar o papado mostrando que o papa Pio XII colaborou com os nazistas. Para isso, disse Pacepa, "a KGB precisava de documentos originais do Vaticano, mesmo que ligados apenas remotamente a Pio XII, que seus especialistas em *dezinformatsiya* pudessem modificar ligeiramente e lançar sobre eles 'a luz adequada' para mostrar 'as verdadeiras cores' do papa. A dificuldade estava no fato de a KGB não ter acesso aos arquivos do Vaticano".

Os soviéticos então fizeram contato com o serviço de inteligência estrangeiro romeno (DIE). "O novo chefe do serviço de inteligência estrangeiro soviético, general Aleksandr Sakharovski, havia criado a DIE em 1949 e tinha (...) sido seu principal assessor soviético, então sabia que a DIE estava em excelente posição para contatar o Vaticano e obter aprovação para pesquisar os arquivos."

Pacepa escreveu: "Em 1959, quando fui designado para a Alemanha Ocidental no papel de vice-chefe da delegação romena, organizei uma 'troca de espiões' em que dois oficiais da DIE (coronel Gheorghe Horobert e major Nicolae Ciuciulin), que haviam sido pegos em flagrante na Alemanha Ocidental, foram trocados pelo bispo católico-romano Augustin Pacha, preso pela KGB sob a acusação espúria de espionagem, que voltou para o Vaticano através da Alemanha Ocidental".

No plano da KGB, que recebeu o nome de código "Trono-12", Pacepa tornou-se o principal agente romeno. "Para facilitar sua tarefa, Sakharovski autorizou-o a informar falsamente ao Vaticano que a Romênia estava disposta a restaurar as relações cortadas com a Santa Sé em troca do acesso aos seus arquivos e de um empréstimo de um bilhão de dólares sem juros por vinte e cinco anos. (As relações da Romênia com o Vaticano haviam sido cortadas em 1951, quando Moscou acusou a nunciatura vaticana na Romênia de ser fachada da CIA e fechou seus escritórios. Os edifícios da nunciatura em Bucareste passaram então para a DIE.)" Pacepa deveria dizer que "o acesso aos arquivos do Vaticano (...) era necessário para encontrar raízes históricas que ajudariam o governo romeno a justificar sua mudança de atitude em relação à Santa Sé. O empréstimo de um bilhão de dólares (...) serviria para tornar mais plausível a reviravolta romena. 'Se há uma coisa que esses monges entendem, é de dinheiro', Sakharovski falou".

Um mês depois de receber as instruções da KGB, Pacepa fez seu "primeiro contato com um representante do Vaticano. Por questões de sigilo, o encontro — como a maioria dos que se seguiram — ocorreu em um hotel de Genebra, Suíça. Pacepa foi apresentado a um 'membro influente do corpo diplomático' que", como lhe foi informado, "tinha começado sua carreira trabalhando nos arquivos do Vaticano. Seu nome era monsenhor Agostino Casaroli. (...) Esse monsenhor garantiu o acesso aos arquivos, e em pouco tempo três jovens oficiais da DIE disfarçados de padres romenos estavam revirando os arquivos papais. Casaroli também concordou 'em princípio' com o pedido de empréstimo sem juros feito por Bucareste, mas disse que o Vaticano desejava impor algumas condições. (...)

"De 1960 a 1962, a DIE conseguiu roubar centenas de documentos ligados de alguma maneira ao papa Pio XII nos arquivos do Vaticano e na Biblioteca Apostólica. Tudo era enviado imediatamente à KGB por correio especial. Na verdade, nenhum material que pudesse incriminar o pontífice apareceu em todos aqueles documentos fotografados secretamente. A maioria era cópia de cartas pessoais e transcrições de encontros e discursos, em linguagem diplomática de rotina".

Usando esse material, segundo Pacepa, a KGB desenvolveu uma peça de teatro em que o papa Pio XII era retratado como colaborador dos nazistas, com total conhecimento do programa de extermínio dos judeus. Tendo como autor o dramaturgo Rolf Hochhuth, o título em alemão era *Der Stellvertreter: Ein Christliches Trauerspiel* (O vigário, uma tragédia cristã). O texto do drama de oito horas foi publicado, incluindo um apêndice com "documentação histórica".

Em um artigo publicado em um jornal alemão em 1963, Hochhuth defendeu seu retrato de Pio XII. "Os fatos estão ali", ele disse, "quarenta páginas repletas de documentos no apêndice de minha peça."

Em entrevista a uma rádio de Nova Iorque, quando da estreia de *O vigário* em 1964, Hochhuth disse: "Considerei necessário acrescentar à peça um apêndice histórico, cinquenta a oitenta páginas (dependendo do tamanho da impressão)".

Pacepa declarou que "antes de escrever *O vigário*, Hochhuth, que não tinha diploma superior, trabalhou em várias funções subalternas na editora Bertelsmann. Em entrevistas, dizia que em 1959 afastou-se do trabalho e foi para Roma, onde passou três meses conversando com as pessoas e escrevendo o primeiro esboço da peça, e onde fez 'uma série de perguntas' a um bispo cujo nome recusou-se a revelar".

Pacepa afirmou que "mais ou menos nessa mesma época eu visitava o Vaticano regularmente como mensageiro credenciado de um chefe de Estado, e nunca consegui levar nenhum bispo tagarela para um canto para conversar comigo, e não foi por não tentar. Os oficiais ilegais da DIE que se infiltraram no Vaticano também encontraram enormes dificuldades para penetrar nos arquivos secretos do Vaticano, apesar de estarem disfarçados de padres".

Em seus primeiros dez anos de vida, "*O vigário* provocou uma enxurrada de livros e artigos, alguns acusando e alguns defendendo o pontífice. Alguns chegaram ao ponto de colocar a culpa pelas atrocidades cometidas no campo de concentração de Auschwitz nos ombros do papa", enquanto outros atacaram os argumentos de Hochhuth.

Quando nos anos 1970, pesquisadores apresentaram evidências de que Hitler havia conspirado contra Pio XII, incluindo um plano para sequestrá-lo, o chefe da KGB Yuri Andropov admitiu para Pacepa que "se soubéssemos na época o que sabemos agora", a KGB jamais teria ido atrás de Pio XII.

Uma década depois, como descrito no capítulo 7, a KGB se voltou para seu serviço de espionagem títere na Bulgária para silenciar o papa João Paulo II enquanto ele manifestava seu apoio ao movimento polonês Solidariedade.

Quando João Paulo II morreu, os guardiões dos segredos do Vaticano foram obrigados a se proteger contra jornalistas que tentavam espionar o Colégio de Cardeais quando os príncipes da Igreja se reuniram para eleger o sucessor.

A Associated Press informou: "*Hackers*, escutas eletrônicas e microfones supersensíveis ameaçam atravessar as grossas paredes do Vaticano na próxima semana quando os cardeais se reunirem na Capela Sistina para escolher o novo papa".

Confiante de que poderia proteger a sigilosa tradição centenária que cerca o encontro, um funcionário afirmou: "Esta não é a primeira vez que organizamos um conclave".

"O segurança do Vaticano se recusou a discutir os detalhes de qualquer medida antiescuta a ser usada durante o conclave. Mas Giuseppe Mazzullo, detetive particular e policial romano aposentado, cuja unidade trabalhava diretamente com o Vaticano, disse que a Santa Sé reforçaria seu contingente de especialistas com policiais italianos e seguranças particulares."

"A segurança é bem severa", disse Mazzullo. "Para que as pessoas roubem informações, é muito, muito difícil, se não impossível."

Capítulo 13

A IGREJA E O DIABO

"Graças a Deus temos um papa que decidiu enfrentar o diabo de frente."

Assim falou o padre Gabriele Amorth, exorcista oficial da diocese de Roma ao ouvir em 2007 que o papa Bento XVI logo daria início a uma nova campanha de combate às possessões demoníacas.

Como especialista no assunto e autor de um livro popular sobre exorcismo e possessão, aos setenta e cinco anos de idade e cinquenta como padre, Amorth falou como "líder inquestionável dos seis exorcistas de Roma. (...) e presidente perpétuo honorário da Associação Internacional de Exorcistas".

"Falo com o diabo todos os dias", ele disse a um entrevistador enquanto sorria como uma gárgula benevolente. "Falo com ele em latim. Ele responde em italiano. Venho lutando com ele, dia após dia, há catorze anos."

Nascido em 1925 em "Modena, norte da Itália, filho e neto de advogados", se juntou à resistência italiana na Segunda Guerra Mundial quando era adolescente. "Logo após a guerra tornou-se membro do Partido Democrata Cristão italiano. Giulio Andreotti era o presidente da Juventude Democrata Cristã, Amorth era o vice. Andreotti entrou para a política e foi sete vezes primeiro-ministro. Amorth, tendo estudado direito na universidade, entrou para a Igreja."

"A partir dos quinze anos", ele lembrou, "eu soube que essa era minha verdadeira vocação. Minha especialidade era a Madonna. Durante muitos anos editei a revista *Madre di Deo* (Mãe de Deus). (...) Eu não sabia nada de exorcismo — nunca havia pensado nisso — até 6 de junho de 1986, quando o cardeal Poletti, então vigário de Roma, pediu para me ver. Havia um exorcista famoso em Roma, o único, padre Candido, mas ele não estava bem, e o cardeal Poletti me disse que eu seria assistente dele. Aprendi tudo com o padre Candido. Foi meu grande mestre. Rapidamente percebi que havia muito trabalho a ser feito e que havia poucos exorcistas para fazê-lo. A partir desse dia, abandonei tudo e me dediquei inteiramente ao exorcismo."

Em 2008, ele disse ao *website* Petrus que um "novo documento do Vaticano determinaria que fossem indicados exorcistas em todas as dioceses católicas de todo o mundo". Mas o padre Federico Lombardi, diretor de Imprensa do Vaticano, negou a informação. O porta-voz do papado afirmou: "O papa Bento XVI não tem intenção de ordenar que os bispos locais reúnam brigadas de exorcistas para combater a possessão demoníaca".

Diante dessas declarações conflitantes, o Serviço de Notícias do Vaticano informou que "a questão do exorcismo desperta considerável interesse público na Itália, e o padre Amorth frequentemente tem chamado a atenção com avisos sobre a disseminação da influência diabólica. Em um novo curso sobre o assunto, oferecido pelo Ateneu Pontifício Regina Apostolorum, de Roma, o padre Paolo Scarafoni alertou para o fato de que apesar de os cultos satânicos estarem fazendo incursões na sociedade, e a influência do demônio ser real, muitos dos casos de suspeita de possessão demoníaca poderiam ser explicados por outros fatores".

Em 26 de janeiro de 1999, o prefeito da Congregação do Vaticano para a Adoração Divina e a Disciplina dos Sacramentos, cardeal Jorge Arturo Medina Estevez, revelou um ritual católico-romano revisto para expulsar os demônios. Apesar de ter salientado que poucas pessoas ficavam realmente possuídas por demônios, e que "apenas um a cada 5 mil casos informados é realmente possessão", João Paulo II reafirmou que o diabo existe e estava agindo no mundo.

Segundo o *New York Times*, o papa João Paulo II fez "um esforço aparente para aplacar católicos liberais constrangidos por uma prática que parece lembrar superstições medievais" conclamando aqueles que realizam exorcismos a "esforçar-se para distinguir entre pessoas possuídas daquelas que estivessem sofrendo alguma forma de doença mental ou psicológica". O *Times* observou que o exorcismo é a "antiga prática de expulsar o diabo das pessoas que se acredita estarem possuídas. Continua a ser uma fonte de debate teológico e, nos últimos anos, apesar da renovada popularidade nos Estados Unidos e em outros lugares, a Igreja procurou minimizar sua importância sem causar abalos na crença de uma fonte pessoal de maldade no mundo".

"Em um texto em latim intitulado *De Exorcismis et Supplicationibus Quibusdam* (Do exorcismo e certos suplícios), o Vaticano alertou para o fato de que os exorcistas 'antes de mais nada, não deveriam considerar pessoas atormentadas por demônios aquelas que estivessem sofrendo sobretudo de alguma doença psíquica'. (...)

"Ao publicar o texto, que substituiu a versão de 1614, o Vaticano reafirmou a existência do diabo. (...) O documento de oitenta e quatro páginas, que João Paulo II aprovou antes de uma viagem à América do Norte, continha orações e ritos para expulsar o diabo, mas também para limpar os lugares e as coisas de influências demoníacas (...)

"O cardeal Medina Estevez (...) disse que a verdadeira possessão podia ser reconhecida por vários critérios, incluindo o uso de línguas desconhecidas, uma força extraordinária e a revelação de acontecimentos ou fatos ocultos. Ele também mencionou a 'aversão veemente por Deus, à Virgem Santíssima, aos santos, à cruz e às imagens sagradas'. Ele reconheceu que muitos católicos modernos não acreditavam mais no diabo, mas disse que isso era 'uma falha grave da educação religiosa', acrescentando que a existência do diabo 'pertence à fé e à doutrina católicas'.

"'O exorcismo se baseia na fé da Igreja', disse Estevez, 'que sustenta que Satã e outros espíritos malignos existem e que sua atividade consiste em desviar os seres humanos do caminho da salvação. A doutrina católica nos ensina que os demônios são anjos que caíram por causa do pecado, que eles são seres espirituais de grande força e inteligência, mas eu gostaria de ressaltar que a influência maligna do diabo e seus seguidores normalmente é exercida pelo engano e confusão. Assim como Jesus é a Verdade, o diabo é o mentiroso por excelência. Ele engana os seres humanos fazendo-os acreditar que a felicidade está no dinheiro, no poder ou no desejo carnal. Ele os engana fazendo-os pensar que não precisam de Deus, que a graça e a salvação são desnecessárias. Ele os engana inclusive diminuindo o sentimento de pecado ou suprimindo-o completamente, substituindo a lei de Deus como critério de moralidade pelos hábitos ou convenções da maioria'."

O catecismo católico-romano afirma que "Jesus realizou exorcismos e dele a Igreja recebeu o poder e o ofício de exorcizar. De uma forma simples, o exorcismo é realizado na celebração do batismo. O exorcismo solene, chamado 'o grande exorcismo', só pode ser realizado por um padre e com a permissão do bispo. O padre deve agir com prudência, observando estritamente as regras estabelecidas pela Igreja. O exorcismo visa à expulsão dos demônios ou à libertação da possessão demoníaca 'por meio da autoridade espiritual que Jesus confiou à sua Igreja'".

Em Efésios 6:12-13, são Paulo disse: "Porque nossa luta não é contra a carne e o sangue, mas contra os principados e potestades, contra os governantes das trevas do mundo, contra os espíritos de malícia espalhados nas alturas. Portanto, tomai a armadura de Deus, para que possais resistir ao dia maligno, e havendo feito tudo, permanecer firmes".

Em um livro publicado em 2008, *The Sistine Secrets*, os autores Benjamin Blech, um rabino, e Roy Doliner escreveram que ao começar

SOLVE
COAGULA
ELIPHAS
LEVI DEL

seu trabalho no teto da Capela Sistina, Michelangelo teria inserido mensagens de "fraternidade, tolerância e liberdade de pensamento" em sua pintura para incentivar "companheiros viajantes" a desafiar a Igreja "repressora" de sua época. Eles escreveram: "Levado pelas verdades que acabara descobrindo durante os anos de estudo no ensino privado não tradicional de Florença, verdades enraizadas no seu envolvimento com textos judaicos bem como com a formação cabalística, que conflitavam com a doutrina cristã aprovada, Michelangelo precisava encontrar uma maneira de permitir que vissem aquilo em que ele realmente acreditava. Ele não podia permitir que a Igreja silenciasse para sempre sua alma. E para o que a Igreja não permitiria que comunicasse abertamente, ele descobriu uma forma engenhosa de transmitir àqueles que fossem suficientemente diligentes para aprender sua linguagem secreta".

Blech e Doliner afirmaram que o que "Michelangelo quis dizer com as representações angelicais era zombar de seu patrão papal (...) incluindo símbolos judeus que na época eram heresias não ortodoxas em seus retratos devotos (...) para satisfazer sua antiga ambição de colmatar com a sabedoria da ciência as restrições da fé. Os autores alegaram ter descoberto segredos que ficaram escondidos à vista de todos durante séculos". "O ponto de partida do livro é que não há uma única figura ou imagem cristã entre as centenas de figuras de todo o teto da capela papal. Eles afirmaram que a despeito do papa Júlio III, Michelangelo (...) alterou o projeto cristão original para um tema predominantemente judaico. Especialistas do Vaticano sustentaram que o teto enfatizava que a escolha dos temas simplesmente apresentava os ancestrais de Jesus e antecedentes teológicos do triunfo da cristandade."

Eleito papa em 1550, Júlio III saqueou os cofres papais para reformar sua própria mansão em Roma. A Villa Giulia, como é conhecida, tornou-se residência em tempo integral de Júlio III e o papa supervisionou a construção. "Júlio III nomeou um adolescente (Innocenzo Ciocchi Del Monte) como seu primeiro-cardeal. Júlio recolhera

Innocenzo nas ruas de Parma, quando Innocenzo era um pedinte, aos quinze anos. O embaixador veneziano declarou que Innocenzo dormia com o papa (Júlio III). Júlio permitiu que Innocenzo ficasse mais rico do que os Médici. Dizia-se que Júlio fazia amor com cardeais, pagens e jovens com quem simpatizava. (...)

"Outros papas notoriamente *gays* teriam sido o papa Bento IX, o papa João XII, o papa Sisto IV e o papa Leão X." Escrevendo em 1525, Francesco Guicciardini (1483–1540) afirmou que no início do pontificado de Leão X, "a maioria das pessoas considerava-o muito casto; no entanto, descobriu-se depois que era extremamente devotado, e a cada dia com menos vergonha, àquele tipo de prazer que para o bem da honra não pode ser nomeado".

"Sisto IV foi um dos vários papas suspeitos de serem homossexuais. No diário de Stefano Infessura (1440–1599) foram registrados episódios documentados e boatos sem fundamento, o que incluía acusações de que Sisto concedia benefícios e bispados em troca de favores sexuais. (...) Uma exceção foi Giovanni Sclafenato, que foi feito cardeal, segundo o epitáfio papal em seu túmulo, por 'ingenuidade, lealdade e outros presentes de corpo e alma'."

O papa Paulo III teria "matado parentes, incluindo o envenenamento de sua mãe e sobrinha, para herdar a fortuna da família. (...) A anedota mais famosa envolvendo a crueldade de Paulo III girava em torno de uma disputa teológica entre dois cardeais e um bispo polonês". Quando a discussão começou a entediá-lo, Paulo III cortou os três até a morte com espadas.

Depois que um homem é eleito papa, só pode ser removido do posto pela renúncia ou morte. Não existe processo de *impeachment* contra um papa.

Os arquivos do Vaticano revelam que séculos depois de Leão, o Grande, ter salvado Roma do saque dos hunos de Átila, Lúcio III instituiu a Inquisição; o papa Inocêncio III "exerceu controle político efetivo sobre toda a Itália e boa parte da Europa para levar o poder temporal do papado ao seu ponto máximo; Leão X (...) excomungou

Martinho Lutero e se mostrou incapaz de lidar com a Reforma; Alexandre VI (um Bórgia) praticou simonia e nepotismo e falhou em seu grande plano de conquistar e unificar a Itália; Pio VII assinou uma concordata com Napoleão e restaurou o catolicismo na França; Leão XIII foi o autor da encíclica *Rerum Novarum*, que diagnosticou pela primeira vez para os católicos romanos a doença da sociedade contemporânea e convocou-os a curá-la — sem sucesso".

Como observou um historiador, a Igreja Católica Romana é a instituição mais antiga da humanidade, abrangendo dois milênios. Durante séculos, a Igreja teve a felicidade de agir protegida dos olhares públicos, mas um registro escrito da Igreja e da maior parte da história papal pode ser encontrado nos imensos arquivos do Vaticano, incluindo a dissolução da Ordem dos Cavaleiros Templários executada por Clemente V e a declaração do diretor do observatório do Vaticano, segundo o qual se há vida inteligente além dos limites da Terra, eles são, como nós, obras de Deus.

Entre os segredos ocultos que algumas pessoas acreditam que talvez estejam sendo mantidos pelo atual mandante do Vaticano estão aqueles que fixam a data para o fim do mundo como o conhecemos, a realização das profecias do livro das Revelações, e a volta de Cristo.

Capítulo 14

MITOS, BOATOS E PRESIDENTES

O presidente dos EUA, Ronald Reagan,
sua esposa Nancy e o papa João Paulo II

O falecido padre jesuíta, estudioso, especialista em Vaticano e autor bem-sucedido Malachi Martin disse: "Qualquer um que tenha alguma familiaridade com os negócios do Vaticano sabe muito bem que o príncipe das trevas teve e ainda tem seus substitutos na corte de são Pedro em Roma".

De 1958 a 1964, Martin serviu em Roma, onde foi colaborador próximo e responsável por muitas missões delicadas para o papa Paulo VI. Liberado de seus votos de pobreza e obediência a seu pedido (mas ainda um sacerdote), acabou se mudando para Nova Iorque, onde se tornou um escritor bem-sucedido de ficção e não ficção. Em sua primeira referência a um rito diabólico realizado em Roma em seu livro de não ficção *The Keys of This Blood*, *best-seller* de 1990 sobre geopolítica e o Vaticano, ele escreveu: "O papa João Paulo chocou-se com a presença inamovível de uma força maligna em seu próprio Vaticano e nas cúrias de muitos bispos. Era o que eclesiásticos bem informados chamavam de 'superforça'. Boatos, sempre difíceis de verificar, vinculavam sua instalação ao início do reinado do papa Paulo VI em 1963".

E, de fato, o papa Paulo VI havia aludido sombriamente à "fumaça de Satanás que entrara no Santuário".

Em 1966, em *Windswept House: A Vatican Novel*, Martin descreveu vivamente uma cerimônia chamada de "A Entronização do Arcângelo Caído Lúcifer" supostamente realizada na capela de São Paulo, no Vaticano, em 29 de junho de 1963, apenas uma semana após a eleição de Paulo VI. No romance, antes de morrer, o papa deixa um relato secreto da situação em sua mesa para o próximo ocupante do trono de Pedro, uma referência mal disfarçada a João Paulo II.

Segundo a revista *The New American*, Martin confirmou que a cerimônia realmente ocorreu de acordo com a descrição que fizera. "Ah, sim, é verdade; realmente", ele disse. "Mas eu só poderia colocar isso em algo impresso na forma de ficção."

Dizia-se que um crucifixo vergado, com uma figura repulsiva ou distorcida representando Cristo, seria o símbolo de Satã. Historiadores observam que era um símbolo sinistro usado por satanistas do século VI e praticantes de magia negra e feiticeiros da Idade Média para representar a "marca da besta". Durante os reinados dos papas Paulo VI e João Paulo II, uma férula papal com o crucifixo vergado era continuamente exibida diante das massas de fiéis católicos, que não sabiam que estavam adorando um símbolo que já foi um sinal do anticristo. Esse crucifixo também foi carregado por Bento XVI. "Há uma grande abertura para o diabo", disse o padre Gabriele Amorth, exorcista-chefe do Vaticano, à CBN norte-americana em 2008.

O padre Pedro Barrajon, sacerdote em Roma, afirmou: "O satanismo e o ocultismo estão na moda. Acredita-se que a Itália, país com uma esmagadora maioria de católicos-romanos, tem 800 cultos satânicos, com mais de 600 mil seguidores. Mas em Roma, lar da Cidade do Vaticano e do papa, é onde está ocorrendo a batalha espiritual mais ferrenha".

Uma crença falsa e persistente é a de que a Biblioteca do Vaticano contém a maior coleção de pornografia do mundo, que o Vaticano possui muitos documentos secretos que a Igreja Católica não quer que o mundo veja, e que os arquivos guardam milhares de papéis que questionariam o poder e a autoridade da Igreja.

Os não estudiosos às vezes alegam que muitos desses documentos referem-se diretamente a Jesus, como a ordem de execução assinada por Pôncio Pilatos, ou escritos pessoalmente por Jesus, explicando aos seus seguidores como conduzir a formação da Igreja Católica após sua morte, ou até mesmo a data exata de seu retorno para julgar a humanidade. Mas existe apenas um documento atribuído ao próprio Jesus. É conhecido como a Carta de Cristo e Abgar. Estudiosos acreditam que as cartas foram forjadas, provavelmente no século III d.C. Não há evidências de que Jesus tenha escrito qualquer coisa em vida, exceto palavras desconhecidas rabiscadas na poeira do chão quando foi questionado a respeito de uma mulher flagrada cometendo adultério.

A Igreja Católica tem todos os registros que passaram pelo Vaticano na Biblioteca Apostólica, incluindo todas as cartas escritas pelos papas. Algumas contêm decisões questionáveis de papas. Os arquivos também contêm cartas enviadas aos papas, incluindo comunicados da Inglaterra a respeito dos pedidos de Henrique VIII para que o papado aprovasse a dissolução de seu casamento com a rainha Catarina de Aragão para que pudesse se casar com Ana Bolena.

Um equívoco referente à tiara papal sugere que as palavras *Vicarius Filii Dei* (Vigário do Filho de Deus, em latim) estão inscritas em um dos lados de uma das tiaras.

Segundo essa história, quando se atribui números a letras com base na sequência alfabética, elas totalizam 666, descrito no livro das Revelações como o número da Besta (o anticristo) que usa inúmeras coroas. Essa história foi difundida por algumas seitas protestantes que acreditam que o papa, como chefe da Igreja Católica Romana, é a Besta ou o Falso Profeta. O Vaticano afirma que um exame detalhado das tiaras mostra que não existe tal inscrição e que *Vicarius Filii Dei* não está entre os títulos do papa. Segundo o

Vaticano, o título mais próximo dessa expressão é *Vicarius Christi* (Vigário de Cristo) que não dá 666.

Outro mito popular sustenta que existiu uma vez a Papisa Joana. A história segundo a qual uma mulher ocupou o papado surgiu pela primeira vez em uma crônica dominicana de 1250. Logo se espalhou pela Europa por meio de frades viajantes. Segundo essa história, isso teria acontecido entre 855 e 858 d.C., entre os reinados de Leão IV e Bento III, mas isso é impossível porque Leão IV morreu em 17 de julho de 855 e o papa Bento III foi eleito dois meses depois (29 de setembro). Jean de Mailly, dominicano francês de Metz, situa o surgimento da história em 1099 em sua *Chronica universalis mettensis*, de 1250, fornecendo o que quase certamente é o mais antigo relato de uma mulher que teria ficado conhecida como papisa Joana.

No folclore do Vaticano existem duas versões para a lenda da Papisa Joana. A primeira, uma inglesa, chamada Joana, foi para Atenas com seu amante para estudar. Na segunda, uma alemã chamada Giliberta nasceu em Mainz. Essa "Joana" se disfarçou de monge, com o nome de Joannes Anglicus. Com o tempo, chegou ao mais alto cargo da Igreja. Depois de um reinado de dois a cinco anos, a Papisa Joana engravidou e durante a procissão da Páscoa deu à luz nas ruas ao cair de um cavalo. Foi morta a pedradas pela multidão atônita. Segundo a lenda, ela foi removida dos arquivos do Vaticano. Mas, por causa disso, os papas do período medieval eram obrigados a passar por um procedimento pelo qual sentavam em uma cadeira especial com um buraco no assento. Um cardeal ficaria encarregado de colocar a mão no buraco para verificar se o papa tinha testículos. Em um estudo do século XVII, o historiador protestante David Blondel argumentou que a história da Papisa Joana era fictícia, nada além de uma sátira que passou a ser acreditada como realidade.

Apesar da popularidade dessa história, para os historiadores do Vaticano não há dúvida de que é uma lenda. Não existem referências contemporâneas a uma mulher papa, e não há espaço na cronologia papal para encaixá-la.

Papisa Joana

Durante o reinado de Paulo VI, espalhou-se em Roma e em toda a Itália o boato de que ele era homossexual. Dizia-se que quando era arcebispo de Milão, foi pego pela polícia uma noite usando roupas civis e acompanhado do que foi descrito como "companhia não muito louvável". Informantes do Vaticano diziam que durante muitos anos ele tivera uma amizade especial com um ator ruivo. Esse homem não escondia seu relacionamento com o futuro papa. A relação teria prosseguido e se tornado ainda mais íntima. Depois que o cardeal Montini se tornou o papa Paulo VI, um oficial das forças de segurança do Vaticano afirmou que "esse favorito do Montini" podia ir e vir livremente nos apartamentos papais, e que era visto pegando o elevador papal à noite.

Embora os Estados Unidos sejam uma nação predominantemente protestante, o papado atraiu a atenção de todos os presidentes nos últimos cinquenta anos. A primeira audiência papal com um presidente norte-americano ocorreu logo depois do fim da Primeira Guerra Mundial, quando Woodrow Wilson foi recebido no Vaticano pelo papa Bento XV, em 1919. O encontro seguinte só ocorreu quarenta anos depois, quando o presidente Dwight Eisenhower viu o papa João XXIII em Roma.

O presidente Kennedy teve uma audiência com o papa Paulo VI no dia 3 de julho de 1963, poucos dias após a coroação de Paulo VI. Desde então, todos os presidentes se encontraram com o papa ao menos uma vez. O presidente Lyndon Johnson recebeu o papa Paulo VI durante sua visita aos Estados Unidos. Jimmy Carter saudou João Paulo II quando o pontífice visitou seis cidades norte-americanas no outono de 1979 como "um mensageiro da fraternidade e da paz". Em 6 de outubro, Carter tornou-se o primeiro presidente a receber o papa na Casa Branca.

Nos anos 1980, Ronald Reagan e João Paulo II tornaram-se aliados contra a União Soviética e foram considerados os vencedores da Guerra Fria. Reagan deu início às relações diplomáticas formais em 1984. Antes do estabelecimento dos contatos oficiais, Myron Taylor serviu durante a Segunda Guerra Mundial como emissário do presidente Roosevelt. A escolha de um herói da Segunda Guerra Mundial, Mark W. Clark, pelo presidente Harry Truman não foi aprovada pelo Senado. Entre 1951 e 1968, os Estados Unidos não tiveram um representante oficial credenciado na Santa Sé. O presidente Nixon mudou essa situação ao nomear Henry Cabot Lodge Jr. como seu representante pessoal. O presidente Carter fez o mesmo indicando o ex-prefeito da Cidade de Nova Iorque, major Robert F. Wagner Jr. Até hoje todos os embaixadores têm sido católicos-romanos.

O contato próximo entre Reagan e João Paulo II continuou com George H. W. Bush e Bill Clinton. Mas George W. Bush tornou-se o recordista em visitas papais, com um total de cinco encontros com dois papas, João Paulo II e seu sucessor. Em junho de 2008, quando visitou o papa Bento XVI, eles conversaram em um jardim onde o pontífice rezava diariamente, em vez da biblioteca onde Bento recebeu a maioria dos líderes mundiais. Isso gerou boatos de que o presidente Bush pudesse ter se convertido ao catolicismo. Observadores do Vaticano descreveram-no como o presidente "de mentalidade mais próxima do catolicismo" desde John F. Kennedy. "A história de uma possível conversão de Bush ao catolicismo começou a circular", escreveu Marco Politi, correspondente do *La Repubblica* no Vaticano, depois da conversa no jardim papal. Politi observou que o irmão do presidente, Jeb, havia se convertido ao catolicismo romano, assim como o ex-primeiro-ministro britânico Tony Blair.

A Casa Branca afirmou que os boatos de que o presidente Bush teria se convertido ao catolicismo eram "especulações infundadas". O padre Richard John Neuhaus, eminente sacerdote católico que dirigiu a revista mensal *First Things*, disse: "Eu ficaria bastante surpreso".

Quando o Vaticano quer que o mundo saiba de algo, o mais provável é que faça o anúncio no *L'Osservatore Romano*. Fundado em 1861, tem servido como porta-voz das notícias do Vaticano, informando a rotina diária dos papas e proporcionando-lhes amplo espaço para seus escritos, geralmente em latim. Também é considerado uma espécie de câmara de compensação para o pensamento semioficial em questões delicadas, tais como controle da natalidade e mulheres no clero.

Um artigo do *Wall Street Journal* de outubro de 2008 observou que o jornal é muito criticado, geralmente "pelos mais altos escalões da Igreja". Em 1961, o cardeal Giovanni Battista Montini, então arcebispo de Milão, escreveu uma crítica contundente à publicação em seu 100° aniversário. "Mesmo quando a primeira página não está em latim, nem sempre se pode dizer que propicia leitura agradável", escreveu o futuro papa Paulo VI. "Um jornal sério, um jornal importante, mas quem o leria no bonde ou no bar, quem iniciaria uma discussão a respeito dele?"

As décadas seguintes foram de declínio constante. Atualmente, sua circulação é de aproximadamente 13 mil exemplares.

Em maio de 2008, o *L´Osservatore Romano* publicou uma entrevista com o principal astrônomo do Vaticano. "Se consideramos as criaturas terrenas como 'irmãos' e 'irmãs', por que não podemos também falar de um 'irmão extraterrestre'?", brincou o padre José Gabriel Funes, diretor do Observatório do Vaticano. Questionado sobre a possibilidade de o céu estar aberto a tais criaturas alienígenas, o reverendo Funes disse: "Jesus reencarnou uma vez, para todos".

Talvez mais surpreendente do que a abertura de um observador das estrelas no Vaticano para a ideia de vida em outras partes do universo seja o fato de algumas pessoas acreditarem que o mais obscuro dos segredos do Vaticano é a prova de que tais criaturas tenham visitado a Terra.

Capítulo 15

E DEUS CRIOU ALIENÍGENAS

Papa Alexandre VI

Estimulados pela declaração do chefe do Observatório do Vaticano de que não havia conflito entre os princípios da Igreja e a crença em vida extraterrestre, adeptos da teoria de que objetos voadores não identificados (óvnis) transportam seres do espaço alegam que o Vaticano tem conhecimento de sua existência desde os anos 1950. Expoentes dos óvnis, que se comunicam uns com os outros principalmente pela internet, dizem que o papa Pio XII decidiu criar um departamento de informação secreto com estrutura semelhante aos departamentos de inteligência militar dos Estados Unidos e Grã-Bretanha. Seu objetivo era reunir o máximo de informação possível a respeito das atividades de entidades alienígenas e informações adquiridas pela força aérea norte-americana em suas investigações de relatos de óvnis. O codinome desse programa seria "*Secretum Omega*".

Um *site* da internet afirmou que restos de esqueletos parecidos com alienígenas foram escavados no porão de um cofre centenário na Biblioteca do Vaticano. De acordo com esse relato, a descoberta ocorreu porque a biblioteca sofreu uma grande reforma em suas abóbadas subterrâneas, com pisos de terra que não viam pegadas humanas há mais de 500 anos.

Outro *website* apresentou uma foto ampliada, melhorada tecnicamente, tirada por um turista polonês na praça de São Pedro em 24 de junho de 2006, de um suposto óvni voando perto da cúpula da basílica de São Pedro.

Inúmeros colaboradores de salas de bate-papo sobre óvnis encontraram na Bíblia evidências da existência de vida fora da Terra. Segundo sua interpretação, o profeta Ezequiel viu "uma roda, bem no alto, no meio do céu; a grande roda movida pela fé e a pequena roda movida pela graça de Deus, uma roda dentro da roda, distante no meio do céu". Essas rodas estavam girando, uma roda dentro da outra. Também citam Jacó no livro do Gênesis, que viu uma escada posta sobre a terra que chegava até o céu e "os anjos do Senhor subindo e descendo por ela".

Ufologistas citaram a cobertura noticiosa do velório de João Paulo II que teria mostrado um objeto voador não identificado sobre a basílica de São Pedro.

Caso fosse provado que o Vaticano tem arquivos secretos sobre óvnis e seres do espaço, não seria novidade nenhuma. No século XV, o cardeal Nicolau de Cusa (1401–1464), filósofo e cientista, afirmou: "Não estamos autorizados a excluir o fato de que existem seres em outras estrelas, mesmo que sejam completamente diferentes de nós".

Enquanto os astrônomos do Vaticano examinam os céus na esperança de aprender os segredos do universo, arqueólogos têm feito explorações sob o Vaticano para saber mais a respeito das origens da Igreja. As escavações começaram em junho de 1939. Descobriu-se que em dois níveis abaixo da basílica de São Pedro há um cemitério romano escavado repleto de mausoléus, afrescos, inscrições e decorações de estuque. Foi aí que em 1940 especialistas encontraram os ossos de um homem alto cujo túmulo fora venerado nos primeiros tempos. Muitos pensaram ser os ossos de são Pedro, que se acreditava ter sido martirizado no Circo de Nero, que ficava nas proximidades. Mas a revista *Time* revelou que "o que os escavadores encontraram foi um túmulo saqueado, tão pilhado (provavelmente pelos sarracenos em 846), que a maior parte era apenas um buraco sem traços característicos. Não havia vestígios do caixão de bronze em que segundo a tradição Constantino teria colocado as relíquias de são Pedro. Tudo o que restou, enterrado no fundo do buraco do túmulo, foram alguns ossos. O Vaticano disse apenas que são humanos, que não há um crânio no meio deles e que pertenceram a uma pessoa de constituição forte e idade avançada, mas de sexo indeterminado".

Em junho de 1968, o papa Paulo VI anunciou que os ossos desenterrados durante as escavações sob a basílica de São Pedro eram, na sua opinião, de Pedro, o apóstolo. "As relíquias de são Pedro", ele declarou, "foram identificadas de maneira que consideramos convincente."

Sua conclusão se baseava em "investigações muito pacientes e exatas" de "pessoas valorosas e competentes".

Os arqueólogos do Vaticano também acreditavam ter identificado o túmulo de são Paulo na basílica romana que leva seu nome. O sarcófago foi descoberto durante escavações realizadas em 2002 e 2003 em torno da basílica, no sul de Roma. "O túmulo que descobrimos", disse o arqueólogo Giorgio Filippi, "é aquele que os papas e o imperador Teodósio (379–395) salvaram e apresentaram a todo o mundo como sendo o túmulo do apóstolo".

A descoberta foi feita por uma equipe formada exclusivamente por especialistas do Museu do Vaticano. Eles realizaram essa escavação para atender a uma solicitação do administrador da basílica de São Paulo, o arcebispo Francesco Gioia. Durante o Ano do Jubileu de 2000, o arcebispo percebeu que milhares de peregrinos perguntavam sobre a localização do túmulo de são Paulo. A escavação foi guiada pelos planos feitos no século XIX para a basílica, que foi reconstruída após o incêndio de 1823. Uma pesquisa inicial permitiu que os arqueólogos reconstruíssem a forma da basílica original, erguida no início do século IV. Uma segunda escavação, sob o altar principal da basílica, levou a equipe do Vaticano até os sarcófagos, localizados no que teria sido o nível do chão do edifício original do século XIV.

A Agência Católica de Notícias informou que foi encontrada sob o altar uma placa de mármore datada do século IV com a seguinte inscrição: "Apóstolo Paulo, mártir".

Como arqueólogo, Filippi disse que não tinha nenhuma curiosidade especial em saber se os restos de são Paulo ainda estavam dentro do sarcófago. Ele disse que o túmulo não deveria ser aberto apenas para satisfazer a curiosidade, mas não tinha dúvida de que são Paulo fora enterrado no local "porque essa basílica foi objeto de peregrinação de imperadores; pessoas de todo o mundo vieram para venerá-lo, tendo fé de que ele estava presente nessa basílica".

Em 2007, o papa Bento XVI aprovou os planos de investigadores para examinar o interior do antigo caixão de pedra. Eles tiveram permissão para remover uma tampa com a qual o caixão havia sido selado para que uma sonda endoscópica pudesse ser inserida e o conteúdo visto.

Em 2003, quando estavam sendo realizadas escavações dentro da Cidade do Vaticano para a construção de uma garagem subterrânea para reduzir os problemas de estacionamento do Vaticano, foi descoberto um cemitério de 2 mil anos. A necrópole, que situa o nascimento de cristandade na Roma pagã, continha mais de 40 mausoléus ricamente decorados e 200 túmulos individuais. Lápides, incluindo uma que pertenceu a um escravo de Nero, urnas e afrescos ricamente decorados e pisos de mosaicos foram descobertos no local.

A importância histórica da descoberta ficou atrás apenas da descoberta da necrópole sob a basílica de São Pedro. O *Guardian* de Londres informou que Giandomenico Spinola, coordenador do projeto, afirmara que a necrópole estava em excelentes condições, pois havia sido protegida por um desmoronamento no final do século II. A maioria dos túmulos datava do período que ia da era de Augusto (23 a.C.–14 d.C.) à de Constantino (306–337).

Um monumento ao papa Leão XI, um Médici, em mármore branco, de autoria de Alessandro Algardi (1645–1646), demorou muito mais tempo para ser criado do que o reinado de Leão XI. Aos setenta anos de idade e bastante frágil quando eleito, ele foi o 232º papa e morreu 26 dias depois (papado: 1 a 27 de abril de 1605). Nascido em Florença, foi o último papa da família Médici. Sua mãe, Francesca Salviati, era filha de Giacomo Salviati e de Lucrecia de Médici, irmã de Leão X, e seu pai, Otaviano, era um herdeiro mais distante dos Médici. O rei Henrique IV da França, que aprendera a gostar de Leão XI quando ele era legado papal em sua corte, teria financiado sua eleição. Quando Leão adoeceu após a coroação, foi assediado por muitos membros da cúria para nomear cardeal um de seus sobrinhos, mas ele tinha tamanha aversão pelo nepotismo que se recusou. Quando seu confessor insistiu nessa questão, ele o dispensou e solicitou outro. Devido à brevidade de seu papado, os italianos lhe deram a alcunha de *Papa Lampo* (Papa Relâmpago).

Algardi também celebrou o papa Leão I, que salvou Roma de Átila quando o conquistador mongol, rei dos Hunos, estava preparado e esperando para cruzar o rio Pó com suas hordas e atacar a cidade. Leão, vestindo a túnica papal, entrou no campo de Átila, postou-se diante dele e ameaçou-o com o poder de são Pedro se ele não recuasse e deixasse a Itália. Quando Átila concordou em recuar, seus criados teriam lhe perguntado por que havia capitulado tão facilmente diante do bispo de Roma. Átila respondeu que, enquanto o papa estava falando, havia surgido no céu, acima de sua cabeça, uma imagem de são Pedro com a espada desembainhada.

Um túmulo papal não encontrado no Vaticano é o do papa Alexandre VI.

A historiadora Elizabeth Lev escreveu que de modo geral na história do papado, o papa Alexandre VI não está entre os dez, vinte ou trinta primeiros. Ela escreveu: "Alexandre tornou-se para o papado o que Nero é para o Império Romano, o papa que os críticos adoram odiar". Nascido Rodrigo Bórgia em 1431 perto de Valência, Espanha, ele chegou ao posto de cardeal com a ajuda de seu tio, o papa Calisto III, e depois, como favorito de Isabel e Fernando da Espanha, foi eleito papa em 1492, enquanto Colombo estava descobrindo a América a serviço dos mesmos soberanos. Os contemporâneos viram essa eleição com muito receio, observou Lev, porque todos os contratos e títulos relacionados com a vasta empresa do Novo Mundo estariam em mãos espanholas.

Alexandre não se esforçou para conquistar a opinião pública, exasperando muitos outros por levar uma vida abertamente licenciosa e favorecendo seus filhos, especialmente César Bórgia, que foi acusado de muitos assassinatos durante o pontificado de Alexandre e contou com a proteção senão com a cumplicidade de seu pai. Alexandre VI teve sete filhos, incluindo Lucrécia e César Bórgia, de pelo menos duas amantes. A impopularidade de Alexandre VI era tanta que, ao morrer em 1503, talvez envenenado, talvez por causa da praga, com a idade de setenta e dois anos, os sacerdotes da basílica de São Pedro a princípio se recusaram a aceitar seu corpo para o funeral. Ele morreu em 18 de agosto de 1503, no décimo segundo ano de seu pontificado. Foi enterrado no dia 19 de agosto na igreja de Santa Maria delle Febbre, Roma, e seu corpo foi transferido em 1610 para a igreja de Santa Maria di Monserrato, em Roma.

Mais de quatro séculos após a conclusão da cúpula da basílica de São Pedro, o Vaticano anunciou a descoberta de um esboço feito para a cúpula por Michelangelo, talvez seu último desenho antes de morrer e que estava desaparecido havia muito tempo. Desenhado em giz vermelho para os cortadores de pedra que estavam trabalhando na basílica, foi feito na primavera de 1563, menos de um ano antes da sua morte, quando completaria oitenta e nove anos. O esboço foi encontrado na Fabbrica di San Pietro, onde estão os escritórios da basílica.

O jornal *L'Osservatore Romano* disse que a maioria dos desenhos feitos por Michelangelo para os cortadores de pedra foi destruída ou perdida no local de trabalho dos cortadores, mas esse sobrevivera porque um supervisor usou a parte de trás do desenho para anotar os problemas ligados ao transporte de pedras pelas cercanias de Roma. Michelangelo terminou a cúpula e quatro colunas da base antes de morrer, em fevereiro de 1564. Três semanas antes, com quase oitenta e nove anos, ele subiu até a cúpula para inspecionar o trabalho.

A construção da basílica, cuja cúpula define o horizonte de Roma, ocupou a existência de alguns dos mais celebrados artistas e arquitetos da Renascença. Segundo historiadores do Vaticano, o primeiro arquiteto da basílica, Donato Bramante, morreu oito anos após a colocação da pedra fundamental. Seguiram-se outros arquitetos, incluindo Rafael, até que o papa Paulo III contatou Michelangelo em 1546, trinta e dois anos depois de Michelangelo ter dado a última pincelada nos afrescos do teto da Capela Sistina.

Também em 2007, a Associated Press informou que um recibo de 450 anos encontrado no mesmo arquivo provava que Michelangelo manteve um quarto particular na basílica de São Pedro enquanto trabalhava como arquiteto chefe do papa. Examinando os arquivos para uma exposição comemorativa do 500º aniversário da basílica, pesquisadores da Fabbrica di San Pietro encontraram o registro de uma chave de uma arca localizada "no quarto em São Pedro onde se hospeda o mestre Michelangelo".

"Agora sabemos que Michelangelo realmente tinha um espaço particular na basílica", disse Maria Cristina Carlo-Stella, que dirige a Fabbrica, em uma entrevista para a Associated Press. "O próximo passo é identificá-lo."

O registro feito à tinta em um volume que relaciona os gastos da Fabbrica entre 1556 e 1558, se referia ao pagamento de dez escudos para o ferreiro que forjou a chave, sem dar detalhes sobre a arca ou a localização do quarto.

Os responsáveis pela descoberta observaram que uma sala com afrescos e uma lareira acolhedora, parte de uma área na ala esquerda da basílica onde ficavam os arquivos, era chamada de "*la stanza di* Michelangelo" (sala de Michelangelo). O andar de cima, que dá para o altar principal, está ligado ao piso térreo por uma pequena escada de mármore em espiral, sugerindo que a sala permitia certa privacidade ao artista e uma rota de fuga dos colegas artesãos invejosos. Mas pesquisas mostraram que a sala fazia parte de uma reforma feita após a morte de Michelangelo, e que o espaço não existia no período que o artista passou no Vaticano.

"A teoria é muito romântica e tem um tom de conspiração, mas é totalmente infundada", disse Federico Bellini, historiador da arte que trabalhou no departamento de arquivos.

Originalmente, a Fabbrica, cujos documentos remontam a 1506, ficava na ala direita da basílica, já construída na época de Michelangelo. Sabia-se que os artesãos tinham alojamentos ali, o que levou especialistas a dirigirem suas pesquisas pelo estúdio de Michelangelo nessa área.

O artigo da Associated Press observou: "Um detalhe que a anotação da despesa não revela é que Michelangelo solicitou uma chave muito cara. Segundo Simona Turriziani, arquivista da Fabbrica, dez escudos nos anos 1550 representavam mais do que o salário mensal de muitos dos artesãos que trabalhavam na basílica".

Capítulo 16

O VATICANO E O FIM DO MUNDO

As três crianças que viram
a Virgem em Fátima

Na primavera de 1916, na cidade de Fátima, em Portugal, três pastores — Lucia dos Santos e seus primos Jacinta e Francisco Marto — receberam três visitas do que acreditavam ser um anjo. Ele "disse a eles que era o anjo da guarda de Portugal e que deveriam rezar e se preparar. Na primavera seguinte, oito meses após a última visita do anjo, a Virgem Maria começou a falar com eles. Lucia completara dez anos, Francisco faria nove anos em junho e Jacinta tinha sete anos. No dia 13 de maio de 1917, eles levaram as ovelhas para pastar em um lugar chamado de Cova da Iria. Por volta do meio-dia, uma linda senhora apareceu perto de um carrasqueiro, dizendo-lhes para rezar o terço todos os dias 'para trazer paz ao mundo e o fim da guerra'. Ela prometeu visitá-los novamente 'no décimo terceiro dia de cada mês, pelos cinco meses seguintes'.

"Em 1917, uma figura que se identificou como a Virgem apareceu a eles e lhes entregou uma mensagem para a humanidade. As crianças se transformaram em centro das atenções em todo o mundo, e, em outubro desse ano, a presença da Virgem parece ter sido confirmada por muitos outros quando uma multidão de 70 mil pessoas

— a maioria católicos e alguns céticos — viu o sol ziguezaguear no céu quando a Virgem se dirigiu novamente às crianças."

"Olhei para o sol e o vi girar como um disco, rodando sobre si mesmo", disse um lavrador, Antonio de Oliveiro. "Vi as pessoas mudando de cor. Elas ficaram cobertas pelas cores do arco-íris. O sol parecia estar caindo do céu. As pessoas disseram que o mundo ia acabar. Estavam com medo e gritando."

Maria Cândida da Silva disse: "De repente a chuva parou e surgiu uma grande luz e as crianças gritaram 'olhem para o sol!' Eu vi o sol descendo, sentindo que ia cair no chão. Nesse momento eu desmaiei".

O reverendo João Menitra contou: "Olhei e vi que as pessoas tinham várias cores, amarelo, branco, azul. Na mesma hora, vi o sol girando em grande velocidade e muito perto de mim. Imediatamente pensei: eu vou morrer".

"Fátima tornou-se quase que imediatamente um local de peregrinações.

"A mensagem entregue permaneceu um mistério, pois as crianças se recusavam a revelar o conteúdo da visão. Duas delas morreram pouco tempo depois, por causa da epidemia de gripe; mas, em 1941, Lucia, a única sobrevivente, que se tornara freira, revelou os dois primeiros 'segredos' da Virgem, em descrições que logo estamparam as primeiras páginas dos jornais do mundo inteiro. O primeiro era uma visão do inferno; o segundo era uma previsão de que a Primeira Guerra Mundial acabaria, mas se as pessoas continuassem a ofender a Deus, outra pior surgiria durante o pontificado de Pio XI."

Em relação à visão do inferno, Lucia contou: "Nossa Senhora nos mostrou um grande mar de fogo, que parecia estar sob a terra. Mergulhados nesse fogo havia demônios e almas de forma humana, como brasas transparentes, enegrecidas ou como bronze polido, flutuando no incêndio, erguidas no ar pelas chamas que saíam delas mesmas junto com grandes nuvens de fumaça, que caíam para todos os lados como fagulhas de uma grande fogueira, sem peso ou equilíbrio, e em meio aos gritos e gemidos de dor e desespero, que nos horrorizaram e nos fizeram tremer de medo. Os demônios se distinguiam pelas formas horríveis e repulsivas de animais espantosos e desconhecidos, todos negros e transparentes".

"Essa visão durou apenas um instante", disse Lucia. "Caso contrário, acho que teríamos morrido de medo e pavor."

"O segundo segredo era uma declaração de que a Primeira Guerra Mundial terminaria e supostamente previa a chegada da Segunda Guerra Mundial, se Deus continuasse a sofrer ofensas e se a Rússia não se convertesse. A segunda parte pedia que a Rússia fosse consagrada ao Imaculado Coração."

Em 1941, Lucia redigiu um documento a pedido do bispo de Leiria, José da Silva, para ajudar na publicação de uma nova edição de um livro sobre Jacinta. "Quando o bispo de Leiria lhe pediu em 1943 para revelar o segredo, Lucia resistiu por algum tempo, pois 'não estava convencida de que Deus a autorizara a agir'. No entanto, em outubro de 1943, o bispo de Leiria lhe ordenou que o colocasse por escrito. Lucia então colocou o segredo no papel e guardou-o em um envelope selado para que fosse aberto em 1960, quando se poderia 'compreender melhor'. (...)

"Em junho de 1944, o envelope selado contendo o terceiro segredo foi entregue a Silva, com quem ficou até 1957, quando foi finalmente enviado a Roma."

"Para garantir maior proteção ao 'segredo', o envelope foi colocado nos Arquivos Secretos do Santo Ofício em 4 de abril de 1957.

"Segundo os registros dos arquivos, o comissário do Santo Ofício, padre Pierre Paul Philippe, com a concordância do cardeal Alfredo Ottaviani, levou o envelope contendo a terceira parte do 'segredo de Fátima' ao papa João XXIII em 7 de agosto de 1959. Depois de alguma hesitação, Sua Santidade disse: 'Devemos esperar. Vou orar. Eu lhes comunicarei minha decisão'.

"Na verdade, o papa João XXIII decidiu devolver o envelope selado para o Santo Ofício sem revelar a terceira parte do 'segredo'.

"O papa Paulo VI leu o conteúdo (...) em 27 de março de 1965, e devolveu o envelope para os arquivos do Santo Ofício, decidindo pela não publicação do texto.

"João Paulo II (...) pediu o envelope contendo a terceira parte do segredo após a tentativa de assassinato em 13 de maio de 1981. Em 18 de julho de 1981, o cardeal Franjo Šeper, prefeito da Congregação, entregou dois envelopes ao arcebispo Eduardo Martínez Somalo, substituto do secretário de Estado: um deles era um envelope branco, contendo o texto original da irmã Lucia em português; o outro era laranja, com a tradução do 'segredo' para o italiano. Em 11 de agosto, o arcebispo Martinez devolveu os dois envelopes para os arquivos do Santo Ofício."

"O texto do terceiro segredo foi revelado oficialmente pelo papa João Paulo II em 2000." Ele disse que o terceiro segredo era uma previsão do atentado contra sua vida, e que ele tinha sido salvo porque a Virgem Maria desviou a bala.

Houve quem alegasse que esse não era o verdadeiro segredo revelado por Lucia "apesar das afirmativas do Vaticano no sentido contrário".

Junto com o texto do segredo, o futuro papa, cardeal Joseph Ratzinger, publicou um comentário teológico em que afirmava que a leitura cuidadosa do texto do chamado terceiro segredo de Fátima se mostraria "provavelmente decepcionante ou surpreendente após todas as especulações que suscitara".

"Nenhum grande mistério foi revelado", ele disse, "nem o futuro desvendado."

Depois de explicar as diferenças entre as revelações públicas e privadas, ele advertia as pessoas para não verem na mensagem um acontecimento futuro determinado. Ele disse: "O objetivo da visão não é mostrar um filme ou um futuro irrevogavelmente determinado. Seu significado é exatamente o oposto: serve para mobilizar as forças da mudança na direção certa. Por isso devemos desconsiderar totalmente as explicações fatalistas do 'segredo', como, por exemplo, a alegação de que o suposto assassino de 13 de maio de

1981 foi apenas um instrumento do plano divino guiado pela Providência, e por isso não poderia ter agido livremente, ou outras ideias semelhantes em circulação. Em vez disso, a visão fala dos perigos e de como poderemos nos salvar deles".

Segundo o *New York Times*, as especulações em relação ao conteúdo do segredo iam "da aniquilação nuclear de todo o mundo a profundas desavenças na Igreja Católica Romana que levariam a papados rivais.

"Alguns grupos questionaram se o texto completo do terceiro segredo havia sido publicado oficialmente. Entre eles o mais proeminente foi o *The Fatima center*, dirigido pelo padre Nicholas Gruner, que foi suspenso pela diocese de Avellino, Itália. O padre Gruner rejeitou a validade da suspensão e continuou a exercer suas funções como padre. Em 22 de novembro de 2006, o escritor italiano Antonio Socci publicou *Il Quarto Segreto di Fatima* (O quarto segredo de Fátima) no qual também argumentava que o Vaticano não havia liberado formalmente todo o terceiro segredo. Esses críticos (...) apontaram para o fato de que a visão de Lucia, como registrada no texto liberado oficialmente, não continha nenhuma palavra de Maria, como se poderia esperar, e nada dizia a respeito de uma crise de fé na Igreja.

"O Vaticano manteve sua posição de que o texto integral do terceiro segredo havia sido publicado em junho de 2000." Embora a Santa Sé afirmasse que a publicação do terceiro e último dos segredos dados pela Virgem Maria às três crianças de Fátima, Portugal, em 1917, previa a tentativa de assassinato de João Paulo II em 1981, muitos católicos acreditavam que a previsão final também dava a data da segunda vinda de Cristo, e do final do mundo como o conhecemos.

Enquanto o livro do Apocalipse, de são João de Patmos, do Novo Testamento, é a previsão cristã do clímax da história e da segunda vinda de Cristo, os arquivos do Vaticano contêm outras profecias do fim do mundo. Johannes Friede (1204–1257) forneceu um vislumbre do aquecimento global. Ele escreveu: "Quando chegar o grande momento, em que a humanidade enfrentará seu último, árduo julgamento, ele será anunciado por mudanças marcantes na natureza. A alteração entre frio e quente se tornará mais intensa, as tempestades terão efeitos mais catastróficos, terremotos destruirão grandes regiões e os mares inundarão muitas terras. Nem tudo será resultado de causas naturais, mas a humanidade penetrará nas entranhas da terra e alcançará as nuvens, jogando com sua própria existência. Antes que as forças de destruição consigam seu intento, o universo será atirado à desordem, e a idade de ferro irá mergulhar no nada. Quando as noites se encherem com o mais intenso frio e os dias com calor, uma nova vida começará na natureza. O calor significa radiação da terra, o frio a luz minguante do sol. Apenas alguns anos mais e vocês tomarão consciência de que a luz do sol ficou mais fraca. Quando até mesmo a luz artificial deixar de prestar serviço, o grande evento no céu estará próximo".

No século XVI, um beneditino da abadia de Santa Maria Laach teve um vislumbre de 400 anos à frente e disse: "O século XX trará morte e destruição, declínio da Igreja, discórdia nas famílias, cidades e governos; será o século de três grandes guerras, com intervalos de poucas décadas. Elas se tornarão cada vez mais devastadoras e sangrentas, e trarão a ruína não apenas para a Alemanha, mas também para todos os países do Leste e do Oeste. Depois de uma terrível derrota da Alemanha seguir-se-á outra grande guerra. Não haverá pão para as pessoas nem forragem para os animais. Nuvens venenosas, criadas por mãos humanas, descerão e exterminarão tudo. A mente humana será tomada pela loucura".

As previsões feitas por um irlandês no século XI talvez sejam as mais famosas e controvertidas. De origem nobre, ele nasceu em Armagh em 1904 e foi canonizado pelo papa Clemente III em 1190, a primeira canonização papal de um santo irlandês. Foi batizado como Máel Máedóc (nome latinizado como Malaquias) e ordenado padre aos vinte e cinco anos. Em 1123, seu tio, "o abade leigo de Bangor, renunciou em favor de Malaquias. Em 1125 foi consagrado bispo de

São Malaquias

Connor e Down (...) e começou a ensinar e a divulgar o evangelho", fundou um seminário e restaurou igrejas. Em 1129 tornou-se arcebispo de Armagh.

"Em 1139, Malaquias foi para Roma. No caminho, parou em Clairvaux e ficou amigo de são Bernardo. Quando chegou a Roma, Malaquias tentou renunciar e tornar-se monge em Clairvaux, mas o papa Inocêncio II não aceitou a renúncia e nomeou-o legado papal na Irlanda."

"Quando estava a caminho do Vaticano, em 1139, caiu em transe e viu uma sucessão de reinos papais a partir de Inocêncio II e se estendendo pelos séculos até o último da linha. (...) Malaquias fez pequenas descrições de cada um em latim, referindo-se a nomes de família, local de nascimento, brasão de armas ou posto alcançado antes da eleição ao papa. (...) As descrições poéticas de cada um dos pontífices foram entregues ao papa Inocêncio II — e ficaram esquecidas até 1590. Foram então impressas, e desde então sua autenticidade e correção têm sido discutidas acaloradamente."

AS PROFECIAS DE MALAQUIAS: OS ÚLTIMOS DEZ PAPAS

O Fogo Ardente: Pio X (1903–1914). "Dizia-se que este papa dedicou-se com paixão ardente à renovação espiritual da Igreja."

A Religião Devastada: Bento XV (1914–1922). "Durante o reinado deste papa o mundo viu o comunismo tomar conta da Rússia, onde a vida religiosa fora devastada, e a Primeira Guerra Mundial, com a morte de milhões de cristãos."

A Fé Intrépida: Pio XI (1922–1939). "Este papa enfrentou forte pressão dos fascistas e de forças sinistras na Alemanha e na Itália, mas criticou abertamente o comunismo e o fascismo, enfurecendo Hitler."

O Pastor Angélico: Pio XII (1939–1958). "Este papa tinha uma afinidade com o mundo espiritual e foi um pontífice amado e admirado durante toda a Segunda Guerra Mundial."

Pastor e Navegante: João XXIII (1958–1963). "João foi um pastor para o mundo, muito amado, e Patriarca de Veneza. Por isso, a ligação com o 'navegante' é extraordinária."

A Flor das Flores: Paulo VI (1963–1978). "Seu brasão de armas exibia três flores-de-lis, o que correspondia à profecia de Malaquias."

Da Meia-lua: João Paulo I (1978–1978). "Eleito papa em 26 de agosto de 1978, quando a lua estava pela metade, na fase de quarto minguante (...) nasceu na diocese de Belluno (bela lua) e foi batizado Albino Luciani (luz branca). Morreu no mês seguinte, logo após um eclipse lunar."

Do Trabalho do Sol: João Paulo II (1978–2005). "O papa João Paulo II foi o papa que mais viajou em toda a história. Cruzou o globo inúmeras vezes, pregando para grandes multidões em toda parte (...) Nasceu no dia 8 de maio de 1920, quando ocorreu um eclipse solar quase total na Europa. A profecia diz: o 110º papa é '*De labore solis*', expressão comum em latim para eclipse solar. Como o sol, ele veio do leste (Polônia)."

Da Glória da Oliveira: Bento XVI (2005–2013). "A Ordem de São Bento disse que esse papa viria dessa ordem. Jesus fez sua profecia apocalíptica sobre o fim do mundo no monte das Oliveiras. Este papa reinará no início das atribulações a que se referiu Jesus. A 111ª profecia é '*Gloria Olivae*' — o próprio são Bento, cujo símbolo é um ramo de oliveira, profetizou que antes do fim do mundo sua ordem iria liderar a Igreja Católica Romana na luta contra o mal."

Pedro Romano: "Este último papa será Satanás, assumindo a forma de um homem chamado Pedro, que conquistará a fidelidade e adoração de todo o mundo. Será o último anticristo, cuja profecia há muito foi anunciada."

Segundo as profecias de Malaquias, haverá apenas mais um papa após o reinado de Bento XVI. Mas a opinião predominante no Vaticano atualmente é de que essas profecias são falsificações elaboradas, provavelmente criadas por monges jesuítas nos anos 1600. Segundo a *Enciclopédia Católica*, "a última dessas profecias se refere ao fim do mundo e diz o seguinte: 'Na derradeira perseguição da Santa Igreja Romana, reinará Pedro, o Romano, que alimentará seu rebanho em meio a muitas tribulações, depois das quais a cidade das sete colinas será destruída e o terrível Juiz julgará o povo'".

Notou-se que a profecia referente a Pedro, o Romano não diz que nenhum papa irá intervir entre ele e seu antecessor, designado *Gloria Olivae* (Bento XVI). Diz apenas que ele será o último papa, deixando aberta a possibilidade de outros papas antes de "Pedro, o Romano".

Aqueles que lançam dúvidas sobre a previsão de são Malaquias em relação ao último na longa linhagem do papado como uma profecia do fim do mundo se apressam em apontar o que Jesus Cristo disse no evangelho de são Mateus, 24:36-37: "Daquele dia e daquela hora, porém, ninguém sabe, nem mesmo os anjos do céu, nem o Filho, senão só o Pai".

CRONOLOGIA DA BIBLIOTECA DO VATICANO

Esta cronologia encontra-se (em inglês) no *website New Advent — The Vatican and its history* em: http://www.ibiblio.org/expo/vatican.exhibit/exhibit/History.html

1451

O papa Nicolau V concebe uma biblioteca "para a conveniência comum dos sábios" e nasce a Biblioteca do Vaticano. A coleção de Nicolau V reunia cerca de 1.160 livros.

1475

O papa Sisto IV dá vida à biblioteca, instalando os livros em um conjunto de salas reformadas, enriquecendo a coleção e nomeando formalmente Bartolomeo Platina como o primeiro bibliotecário do Vaticano.

1470–1525

Durante a Alta Renascença, a biblioteca cresceu enormemente. Em 1481, um catálogo manuscrito de platina mostrava 3,5 mil registros. A partir de sua criação, as coleções foram disponibilizadas sem restrições quanto à religião ou pontos de vista do leitor.

1517

Começa a Reforma Protestante.

1570–1610

Contrarreforma. A biblioteca sofreu com a introdução do Índex de Livros Proibidos (1558) e foram impostas algumas limitações ao acesso.

1623

A maior parte do rico acervo da Biblioteca Palatina no reduto protestante de Heidelberg passa a integrar a Biblioteca do Vaticano como espólio de guerra.

Meados de 1600

A biblioteca mais uma vez acolheu pesquisas de eruditos sem impor restrições, inclusive de protestantes. Adquiriu imenso acervo de manuscritos e livros, incluindo uma variedade espetacular de itens de terras distantes.

1785

O papa Pio VI limita a consulta aos manuscritos, levando o padre espanhol Juan Andres a acusar o papa Pio VI de supervisionar um "cemitério de livros e não uma biblioteca".

1883

O papa Leão XIII declara a biblioteca formalmente aberta a pesquisadores qualificados.

1927–1939

A Biblioteca do Congresso e o Carnegie Endowment for International Peace ajudam a modernizar o sistema de catalogação de livros da Biblioteca do Vaticano.

1992

O acervo da Biblioteca do Vaticano alcança quase 2 milhões de livros e periódicos; 75 mil manuscritos em latim, grego, árabe, hebraico, persa, etíope e siríaco e outros a partir do século II; 65 mil unidades de volumes de arquivamento em 23 depósitos; 100 mil impressões, gravuras, mapas e desenhos; 330 mil medalhas e moedas papais, gregas e romanas.

2007

Publicação do Pergaminho de Chinon de 1308 exonerando os cavaleiros templários das acusações de heresia.

2007–2010

Fechamento ao público para reforma pela primeira vez em 500 anos.

CRONOLOGIA DOS ARQUIVOS DO VATICANO

Esta cronologia encontra-se no *website* da Wikipedia — Arquivos Secretos do Vaticano — http://pt.wikipedia.org/wiki/Arquivos_Secretos_do_Vaticano

1883

O papa Leão XIII abriu os arquivos de 1815 ou anteriores para estudiosos não clericais.

1924

Abertura dos documentos até o final do pontificado de Gregório XVI (1846).

1966

Abertura dos documentos do pontificado de Pio IX (1846–1878).

1978

Abertura dos documentos do pontificado de Leão XIII (1878–1903).

1985

Abertura dos documentos dos pontificados de Pio X (1903–1914) e de Bento XV (1914–1922).

2002

O papa João Paulo II tomou o extraordinário passo de tornar disponível, a partir de 2003, alguns dos documentos do Arquivo Histórico da Secretaria de Estado (Segunda Seção), que dizem respeito às relações do Vaticano com a Alemanha nazista durante o pontificado do papa Pio XI (1922–1939).

2006

Em junho, o papa Bento XVI autorizou a abertura de todos os arquivos do Vaticano durante o pontificado do papa Pio XI.

OS PAPAS

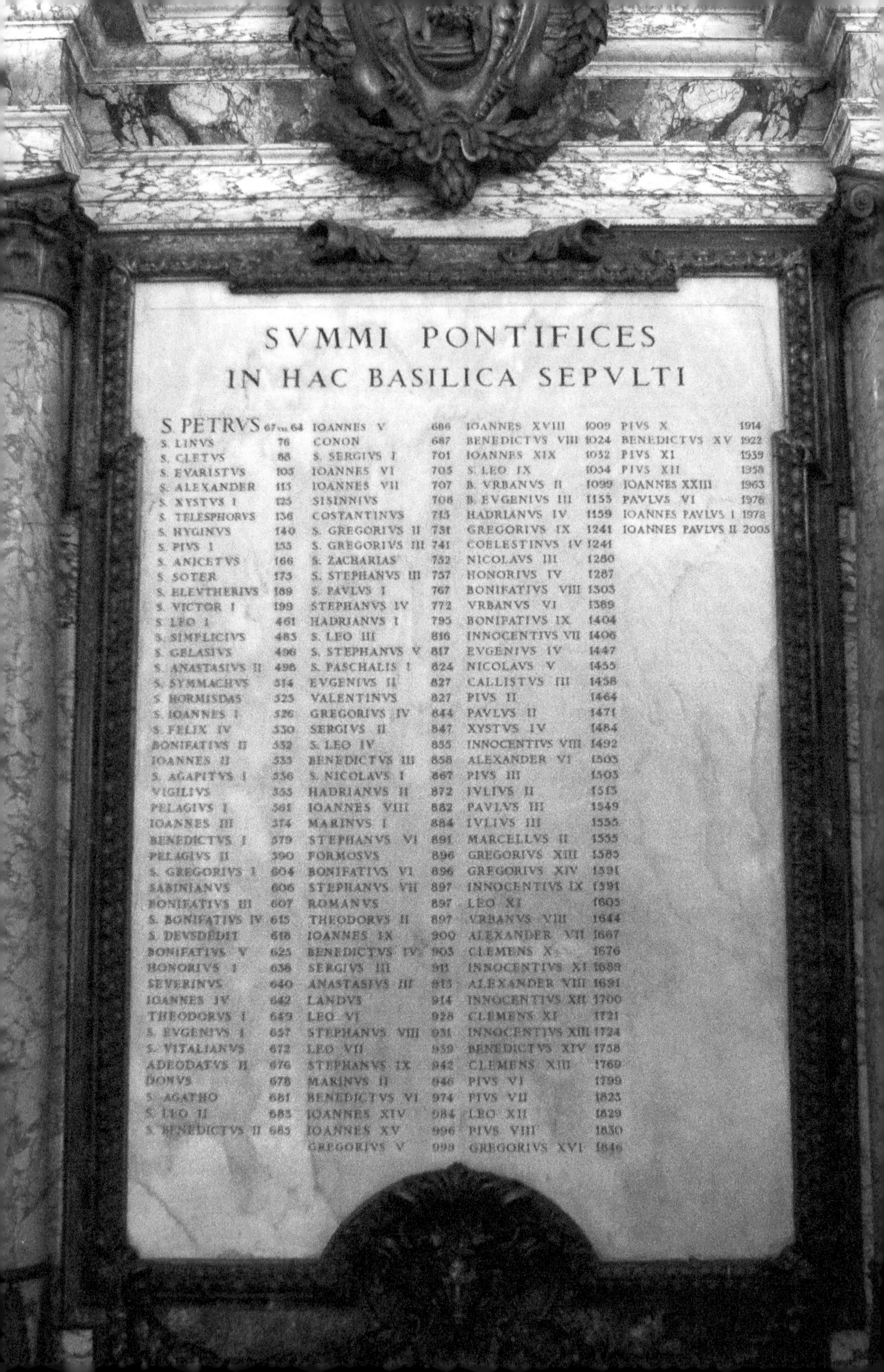
SVMMI PONTIFICES
IN HAC BASILICA SEPVLTI
S. PETRVS 67 vel 64
S. LINVS 76
S. CLETVS 88
S. EVARISTVS 105
S. ALEXANDER 115
S. XYSTVS I 125
S. TELESPHORVS 136
S. HYGINVS 140
S. PIVS I 155
S. ANICETVS 166
S. SOTER 175
S. ELEVTHERIVS 189
S. VICTOR I 199
S. LEO I 461
S. SIMPLICIVS 483
S. GELASIVS 496
S. ANASTASIVS II 498
S. SYMMACHVS 514
S. HORMISDAS 523
S. IOANNES I 526
S. FELIX IV 530
BONIFATIVS II 532
IOANNES II 535
S. AGAPITVS I 536
VIGILIVS 555
PELAGIVS I 561
IOANNES III 574
BENEDICTVS I 579
PELAGIVS II 590
S. GREGORIVS I 604
SABINIANVS 606
BONIFATIVS III 607
S. BONIFATIVS IV 615
S. DEVSDEDIT 618
BONIFATIVS V 625
HONORIVS I 638
SEVERINVS 640
IOANNES IV 642
THEODORVS I 649
S. EVGENIVS I 657
S. VITALIANVS 672
ADEODATVS II 676
DONVS 678
S. AGATHO 681
S. LEO II 683
S. BENEDICTVS II 685
IOANNES V 686
CONON 687
S. SERGIVS I 701
IOANNES VI 705
IOANNES VII 707
SISINNIVS 708
COSTANTINVS 715
S. GREGORIVS II 731
S. GREGORIVS III 741
S. ZACHARIAS 752
S. STEPHANVS III 757
S. PAVLVS I 767
STEPHANVS IV 772
HADRIANVS I 795
S. LEO III 816
S. STEPHANVS V 817
S. PASCHALIS I 824
EVGENIVS II 827
VALENTINVS 827
GREGORIVS IV 844
SERGIVS II 847
S. LEO IV 855
BENEDICTVS III 858
S. NICOLAVS I 867
HADRIANVS II 872
IOANNES VIII 882
MARINVS I 884
STEPHANVS VI 891
FORMOSVS 896
BONIFATIVS VI 896
STEPHANVS VII 897
ROMANVS 897
THEODORVS II 897
IOANNES IX 900
BENEDICTVS IV 903
SERGIVS III 911
ANASTASIVS III 913
LANDVS 914
LEO VI 928
STEPHANVS VIII 931
LEO VII 939
STEPHANVS IX 942
MARINVS II 946
BENEDICTVS VI 974
IOANNES XIV 984
IOANNES XV 996
GREGORIVS V 999
IOANNES XVIII 1009
BENEDICTVS VIII 1024
IOANNES XIX 1032
S. LEO IX 1054
B. VRBANVS II 1099
B. EVGENIVS III 1153
HADRIANVS IV 1159
GREGORIVS IX 1241
COELESTINVS IV 1241
NICOLAVS III 1280
HONORIVS IV 1287
BONIFATIVS VIII 1303
VRBANVS VI 1389
BONIFATIVS IX 1404
INNOCENTIVS VII 1406
EVGENIVS IV 1447
NICOLAVS V 1455
CALLISTVS III 1458
PIVS II 1464
PAVLVS II 1471
XYSTVS IV 1484
INNOCENTIVS VIII 1492
ALEXANDER VI 1503
PIVS III 1503
IVLIVS II 1513
PAVLVS III 1549
IVLIVS III 1555
MARCELLVS II 1555
GREGORIVS XIII 1585
GREGORIVS XIV 1591
INNOCENTIVS IX 1591
LEO XI 1605
VRBANVS VIII 1644
ALEXANDER VII 1667
CLEMENS X 1676
INNOCENTIVS XI 1689
ALEXANDER VIII 1691
INNOCENTIVS XII 1700
CLEMENS XI 1721
INNOCENTIVS XIII 1724
BENEDICTVS XIV 1758
CLEMENS XIII 1769
PIVS VI 1799
PIVS VII 1823
LEO XII 1829
PIVS VIII 1830
GREGORIVS XVI 1846
PIVS X 1914
BENEDICTVS XV 1922
PIVS XI 1939
PIVS XII 1958
IOANNES XXIII 1963
PAVLVS VI 1978
IOANNES PAVLVS I 1978
IOANNES PAVLVS II 2005

Esta lista é do *website New Advent — List of Popes* em (neste endereço, em inglês): http://www.newadvent.org/cathen/12272b.htm

1. São Pedro (32–67)
2. São Lino (67–76)
3. Santo Anacleto (76–88)
4. São Clemente I (88–97)
5. São Evaristo (97–105)
6. Santo Alexandre I (105–115)
7. São Sisto I (115–125) também chamado Xisto I
8. São Telésforo (125–136)
9. Santo Higino (136–140)
10. São Pio I (140–155)
11. Santo Aniceto (155–166)
12. São Sotero (166–175)
13. Santo Eleutério (175–189)
14. São Vitor I (189–199)
15. São Zeferino (199–217)
16. São Calisto I (217–222)
17. Santo Urbano I (222–230)
18. São Ponciano (230–235)
19. Santo Antero (235–236)
20. São Fabiano (236–250)
21. São Cornélio (251–253)

22. São Lúcio I (253–254)
23. Santo Estevão I (254–257)
24. São Sisto II (257–258)
25. São Dionísio (260–268)
26. São Félix I (269–274)
27. Santo Eutiquiano (275–283)
28. São Caio (283–296)
29. São Marcelino (296–304)
30. São Marcelo I (308–309)
31. Santo Eusébio (309 ou 310)
32. São Melquíades (311–14)
33. São Silvestre I (314–35)
34. São Marcos (336)
35. São Júlio I (337–52)
36. Libério (352–66)
37. São Dâmaso I (366–83)
38. São Sirício (384–99)
39. Santo Anastácio I (399–401)
40. Santo Inocêncio I (401–17)
41. São Zósimo (417–18)
42. São Bonifácio I (418–22)
43. São Celestino I (422–32)
44. São Sisto III (432–40)
45. São Leão I (o Grande) (440–61)
46. Santo Hilário (461–68)
47. São Simplício (468–83)
48. São Félix III (II) (483–92)
49. São Gelásio I (492–96)
50. Anastácio II (496–98)
51. São Símaco (498–514)
52. Santo Hormisdas (514–23)
53. São João I (523–26)
54. São Félix IV (III) (526–30)
55. Bonifácio II (530–32)
56. João II (533–35)

57. Santo Agapito I (535–36)
58. São Silverio (536–37)
59. Virgílio (537–55)
60. Pelágio I (556–61)
61. João III (561–74)
62. Bento I (575–79)
63. Pelágio II (579–90)
64. São Gregório I (o Grande) (590–604)
65. Sabiniano (604–606)
66. Bonifácio III (607)
67. São Bonifácio IV (608–15)
68. Santo Adeodato I (615–18)
69. Bonifácio V (619–25)
70. Honório I (625–38)
71. Severino (640)
72. João IV (640–42)
73. Teodoro I (642–49)
74. São Martinho I (649–55)
75. Santo Eugênio I (655–57)
76. São Vitaliano (657–72)
77. Adeodato II (672–76)
78. Dono (676–78)
79. Santo Agatão (678–81)
80. São Leão II (682–83)
81. São Bento II (684–85)
82. João V (685–86)
83. Cónon (686–87)
84. São Sérgio I (687–701)
85. João VI (701–05)
86. João VII (705–07)
87. Sisínio (708)
88. Constantino (708–15)
89. São Gregório II (715–31)
90. São Gregório III (731–41)
91. São Zacarias (741–52)

92. Estevão II (752)
93. Estevão III (752–57)
94. São Paulo I (757–67)
95. Estevão IV (767–72)
96. Adriano I (772–95)
97. São Leão III (795–816)
98. Estevão V (816–17)
99. São Pascoal I (817–24)
100. Eugênio II (824–27)
101. Valentino (827)
102. Gregório IV (827–44)
103. Sérgio II (844–47)
104. São Leão IV (847–55)
105. Bento III (855–58)
106. São Nicolau I (o Grande) (858–67)
107. Adriano II (867–72)
108. João VIII (872–82)
109. Marinho I (882–84)
110. Santo Adriano III (884–85)
111. Estevão VI (885–91)
112. Formoso (891–96)
113. Bonifácio VI (896)
114. Estevão VII (896–97)
115. Romano (897)
116. Teodoro II (897)
117. João IX (898–900)
118. Bento IV (900–03)
119. Leão V (903)
120. Sérgio III (904–11)
121. Anastácio III (911–13)
122. Lando (913–14)
123. João X (914–28)
124. Leão VI (928)
125. Estevão VIII (929–31)
126. João XI (931–35)

127. Leão VII (936–39)
128. Estevão IX (939–42)
129. Marinho II (942–46)
130. Agapito II (946–55)
131. João XII (955–63)
132. Leão VIII (963–64)
133. Bento V (964)
134. João XIII (965–72)
135. Bento VI (973–74)
136. Bento VII (974–83)
137. João XIV (983–84)
138. João XV (985–96)
139. Gregório V (996–99)
140. Silvestre II (999–1003)
141. João XVII (1003)
142. João XVIII (1003–09)
143. Sérgio IV (1009–12)
144. Bento VIII (1012–24)
145. João XIX (1024–32)
146. Bento IX (1032–45)
147. Silvestre III (1045)
148. Bento IX (1045)
149. Gregório VI (1045–46)
150. Clemente II (1046–47)
151. Bento IX (1047–48)
152. Dâmaso II (1048)
153. São Leão IX (1049–54)
154. Vítor II (1055–57)
155. Estevão X (1057–58)
156. Nicolau II (1058–61)
157. Alexandre II (1061–73)
158. São Gregório VII (1073–85)
159. Beato Vítor III (1086–87)
160. Beato Urbano II (1088–99)
161. Pascoal II (1099–1118)

162. Gelásio II (1118–19)
163. Calisto II (1119–24)
164. Honório II (1124–30)
165. Inocêncio II (1130–43)
166. Celestino II (1143–44)
167. Lúcio II (1144–45)
168. Beato Eugênio III (1145–53)
169. Anastácio IV (1153–54)
170. Adriano IV (1154–59)
171. Alexandre III (1159–81)
172. Lúcio III (1181–85)
173. Urbano III (1185–87)
174. Gregório VIII (1187)
175. Clemente III (1187–91)
176. Celestino III (1191–98)
177. Inocêncio III (1198–1216)
178. Honório III (1216–27)
179. Gregório IX (1227–41)
180. Celestino IV (1241)
181. Inocêncio IV (1243–54)
182. Alexandre IV (1254–61)
183. Urbano IV (1261–64)
184. Clemente IV (1265–68)
185. Beato Gregório X (1271–76)
186. Beato Inocêncio V (1276)
187. Adriano V (1276)
188. João XXI (1276–77)
189. Nicolau III (1277–80)
190. Martinho IV (1281–85)
191. Honório IV (1285–87)
192. Nicolau IV (1288–92)
193. São Celestino V (1294)
194. Bonifácio VIII (1294–1303)
195. Beato Bento XI (1303–04)
196. Clemente V (1305–14)

197. João XXII (1316–34)
198. Bento XII (1334–42)
199. Clemente VI (1342–52)
200. Inocêncio VI (1352–62)
201. Beato Urbano V (1362–70)
202. Gregório XI (1370–78)
203. Urbano VI (1378–89)
204. Bonifácio IX (1389–1404)
205. Inocêncio VII (1404–06)
206. Gregório XII (1406–15)
207. Martinho V (1417–31)
208. Eugênio IV (1431–47)
209. Nicolau V (1447–55)
210. Calisto III (1455–58)
211. Pio II (1458–64)
212. Paulo II (1464–71)
213. Sisto IV (1471–84)
214. Inocêncio VIII (1484–92)
215. Alexandre VI (1492–1503)
216. Pio III (1503)
217. Júlio II (1503–13)
218. Leão X (1513–21)
219. Adriano VI (1522–23)
220. Clemente VII (1523–34)
221. Paulo III (1534–49)
222. Júlio III (1550–55)
223. Marcelo II (1555)
224. Paulo IV (1555–59)
225. Pio IV (1559–65)
226. São Pio V (1566–72)
227. Gregório XIII (1572–85)
228. Sisto V (1585–90)
229. Urbano VII (1590)
230. Gregório XV (1590–91)
231. Inocêncio IX (1591)

232. Clemente VIII (1592–1605)
233. Leão XI (1605)
234. Paulo V (1605–21)
235. Gregório XV (1621–23)
236. Urbano VIII (1623–44)
237. Inocêncio X (1644–55)
238. Alexandre VII (1655–67)
239. Clemente IX (1667–69)
240. Clemente X (1670–76)
241. Beato Inocêncio XI (1676–89)
242. Alexandre VIII (1689–91)
243. Inocêncio XII (1691–1700)
244. Clemente XI (1700–21)
245. Inocêncio XIII (1721–24)
246. Bento XIII (1724–30)
247. Clemente XII (1730–40)
248. Bento XIV (1740–58)
249. Clemente XIII (1758–69)
250. Clemente XIV (1769–74)
251. Pio VI (1775–99)
252. Pio VII (1800–23)
253. Leão XII (1823–29)
254. Pio VIII (1829–30)
255. Gregório XVI (1831–46)
256. Beato Pio IX (1846–78)
257. Leão XIII (1878–1903)
258. São Pio X (1903–14)
259. Bento XV (1914–22)
260. Pio XI (1922–39)
261. Pio XII (1939–58)
262. Beato João XXIII (1958–63)
263. Paulo VI (1963–78)
264. João Paulo I (1978)
265. João Paulo II (1978–2005)
266. Bento XVI (2005–2013)
267. Francisco (2013–)

O PERGAMINHO DE CHINON

O Pergaminho de Chinon encontra-se em (inglês):
www.inrebus.com/chinon.php.

CHINON, 17 a 20 DE AGOSTO DE 1308

Em nome de Nosso Senhor, Amém. Nós, Berengário, pela misericórdia de Deus, cardeal presbítero de São Nereu e Santo Aquiles, e Estéfano, cardeal presbítero de S. Ciríaco in Therminis, e Landolfo, cardeal diácono de Sant'Ângelo, declaramos por meio deste comunicado oficial dirigido a todos que o lerem, que nosso Santo Padre e Senhor Clemente, pela divina providência supremo pontífice da Santa Igreja romana e universal, depois de receber apelos verbais e também clamorosos relatórios do ilustríssimo rei da França e prelados, duques, condes, barões e outros súditos desse reino, tanto nobres quanto plebeus, junto com alguns irmãos, presbíteros, cavaleiros, preceptores e servos da Ordem dos Templários, iniciou um inquérito sobre os assuntos referentes aos irmãos, questões de fé Católica e a Regra da dita Ordem, razão pela qual esta sofreu infâmia pública, o mesmo senhor Papa desejando e pretendendo conhecer a pura, a completa e exata verdade dos líderes da referida Ordem, a saber irmão Jacques de Molay, grão-mestre da Ordem dos Cavaleiros Templários, irmão Raymbaud de Caron, preceptor dos comandos dos Cavaleiros Templários em Outremer, irmão Hugo de Pérraud, preceptor da França, irmão Geoffroy de Gonneville, preceptor da Aquitânia e Poitou, e Geoffroy de Charny, preceptor da Normandia, ordenou e nomeou a nós especificamente e por sua vontade expressa verbalmente a fim de que possamos diligentemente examinar a verdade interrogando o grão-mestre e os já mencionados preceptores — um por um e individualmente, tendo convocado notários públicos e testemunhas confiáveis.

E tendo agido de acordo com o encargo e os poderes conferidos pelo dito Senhor Sumo Pontífice, interrogamos os referidos grão-mestre e preceptores e os averiguamos a respeito dos assuntos descritos acima. Suas palavras e confissões foram escritas exatamente da maneira como estão incluídas aqui pelos notários cujos nomes estão relacionados abaixo e na presença das testemunhas relacionadas abaixo. Também ordenamos estas coisas elaboradas nesta forma oficial e validadas pela proteção de nossos selos.

No ano de Nosso Senhor de 1308, 6ª indicção, no 17º dia de agosto, no 3º ano de pontificado do referido papa Clemente V, o irmão Raymbaud de Caron, preceptor do comando dos Cavaleiros Templários em Outremer, foi trazido à nossa presença, os sacerdotes já mencionados, na cidade de Chinon, na diocese de Tours. Com a mão sobre o Santo Evangelho do Senhor, ele fez um juramento de que falaria a pura e completa verdade sobre si mesmo bem como sobre os indivíduos e irmãos da Ordem, e sobre a própria Ordem, em relação às questões da fé Católica e a Regra da referida Ordem, e também especificamente sobre cinco indivíduos e irmãos da Ordem. Diligentemente interrogado por nós sobre a época e as circunstâncias de sua iniciação na Ordem, disse que fazia quarenta e três anos ou mais ou menos, isso desde que fora sagrado cavaleiro e admitido na Ordem dos Templários pelo irmão Roncelin de Fos, na época preceptor da

Provença, na cidade de Richarenchess, na diocese de Carpentras ou Saint-Paul-Trois-Châteaux, na capela do comando Templário local. Durante a cerimônia o patrono nada disse ao noviço que não fosse apropriado, mas após a admissão veio até ele um servo-irmão cujo nome ele não lembra, pois está morto há muito tempo. Ele o levou para um lado segurando uma pequena cruz sob seu manto, e quando todos os irmãos saíram e eles ficaram sozinhos, esse servo-irmão e o declarante, esse servo-irmão lhe mostrou essa cruz, que ele não se recorda se trazia a efígie do crucifixo ou não, mas acredita no entanto que havia um crucifixo pintado ou entalhado. E esse servo-irmão disse ao declarante: "Você deve renegar este aqui". E o declarante, sem acreditar que estivesse cometendo um pecado, disse: "E assim, eu renego". Esse servo-irmão também disse ao declarante que ele deveria preservar a pureza e a castidade, mas, se não conseguisse, era melhor que o fizesse secretamente em vez de publicamente. O declarante disse também que sua negação não viera do coração, mas da boca. Então disse que no dia seguinte revelou isto ao bispo de Carpentras, seu parente de sangue, que estava presente no referido lugar, e o bispo lhe disse que havia agido erradamente e cometido um pecado. Então o declarante confessou seus atos a esse mesmo bispo e recebeu penitências que cumpriu, de acordo com ele.

Quando questionado sobre o pecado de sodomia, disse que nunca teve parte nisso, nem submetendo ou sendo submetido, e que nunca ouvira falar que os Cavaleiros Templários tivessem praticado esse pecado, exceto por aqueles três cavaleiros que haviam sido punidos com a prisão perpétua no Château Pèlerin. Quando questionado se os irmãos da referida Ordem eram recebidos na Ordem da mesma maneira que ele fora recebido, respondeu que não sabia, porque nunca havia iniciado alguém e que nunca havia visto alguém ser aceito na Ordem além de dois ou três irmãos. A respeito deles não sabia se negaram Cristo ou não. Quando lhe foi perguntado sobre os nomes desses irmãos, disse que um se chamava Pedro, mas que não se recordava de seu nome de família. Quando lhe foi perguntado com qual idade foi feito irmão na referida ordem, respondeu que tinha 17 anos ou perto disso. Quando lhe foi perguntado sobre cuspir na cruz e sobre a adoração da cabeça, ele disse que não sabia de nada, acrescentando que nunca tinha ouvido falar dessa cabeça até ouvir o senhor papa Clemente falar disso no ano passado.

Quando lhe foi perguntado sobre a prática de beijar, respondeu que o irmão Roncelin, mencionado acima, o beijou na boca quando o recebeu como um irmão; disse que não sabia de nada a respeito de outros beijos. Quando lhe foi perguntado se queria manter o que dissera durante a confissão, e se o tinha feito de acordo com a verdade, e se tinha acrescentado qualquer coisa falsa ou omitido qualquer coisa que fosse verdade, respondeu que queria manter o que dissera antes em sua confissão, que era verdade e que não acrescentara qualquer coisa que fosse falsa, e nem omitira qualquer coisa que fosse verdade. Quando lhe foi perguntado se confessou devido a um pedido, recompensa, gratidão, favor, medo, ódio ou convencimento de alguém, ou pelo uso de força, ou medo de tortura, ele respondeu que não.

Depois, esse irmão Raymbaud, ficando de joelhos e juntando as mãos, pediu nosso perdão e misericórdia para as ações acima mencionadas. E, ao implorar, o irmão Raymbaud renunciou em nossa presença à heresia relatada anteriormente, bem como a qualquer outra heresia. Pela segunda vez ele fez o juramento com a mão sobre o Santo Evangelho do Senhor de que obedecerá aos ensinamentos da Igreja, que manterá, defenderá e observará a fé católica mantida pela Igreja Romana, que defende e proclama, da mesma forma que ensina e exige que outros a sigam, e que viverá e morrerá como um cristão fiel. Depois desse juramento, pela autoridade que o senhor papa concedeu-nos especificamente para essa finalidade, nós estendemos a esse suplicante e humilde irmão Raymbaud, em uma forma aceita pela Igreja, a misericórdia da absolvição do veredito de excomunhão em que incorrera pelas ações acima mencionadas, restaurando-o à unidade com a Igreja e restabelecendo-o para a comunhão da fé e os sacramentos da Igreja.

Também, no mesmo dia, o irmão cavaleiro Geoffroy de Charny, preceptor dos comandos da Ordem dos Templários na Normandia, comparecendo pessoalmente da maneira e forma previamente descritas, à nossa presença, e na presença dos notários, bem como das testemunhas, modestamente jurou com a mão sobre o Evangelho do Senhor e foi questionado sobre o modo de sua admissão na referida Ordem. Ele declarou que isso foi há quarenta anos ou perto disso, desde que foi aceito na Ordem dos Cavaleiros Templários pelo irmão Amaury de la Roche, preceptor da França em Étamps na diocese de Sens, na capela do comando Templário local. Presentes à cerimônia estavam os irmãos Jean le Franceys, preceptor de Pédenac, e nove ou dez irmãos, ou algo assim, da referida Ordem, os quais ele acredita estarem mortos agora. E então, uma vez aceito na Ordem e com o manto da Ordem colocado sobre seus ombros, o irmão que executou a cerimônia levou-o de lado dentro da mesma capela e lhe mostrou um crucifixo com uma efígie de Cristo, e lhe disse que ele não deveria acreditar no crucificado, mas deveria de fato renunciar a Ele. Então o novo irmão que acabara de ser aceito, a pedido do referido recipiente, negou-O verbalmente, mas não em seu coração. Além disso, disse que no momento da sua iniciação, o noviço beijou o recipiente na boca e no peito por cima da roupa em sinal de reverência.

Quando perguntado se os irmãos da Ordem dos Templários ao ser iniciados na Ordem eram aceitos do mesmo modo que ele, disse que não sabia. Disse também que ele mesmo recebeu um irmão na referida Ordem com o mesmo cerimonial com o qual ele mesmo foi aceito. Depois disso, ele aceitou muitos outros sem a renúncia descrita anteriormente e com cortesia. Também disse que confessou sobre a renúncia da cruz que fizera durante a cerimônia de iniciação e sobre ser forçado a agir assim pelo irmão que realizou a cerimônia, ao patriarca de Jerusalém da época, e foi absolvido por ele.

Quando questionado diligentemente sobre cuspir na cruz, sobre a prática de beijar, o vício de sodomia e a adoração da cabeça, ele respondeu que nada sabia a respeito disso. Questionado novamente, disse que acreditava que outros irmãos tinham sido aceitos na Ordem da mesma maneira que ele. Entretanto, disse que não tinha certeza em relação a isso, uma vez que, quando essas coisas aconteciam, os recém-iniciados eram levados de lado para que outros irmãos que estavam presentes no edifício não vissem nem ouvissem o que acontecia com eles. Perguntado sobre a idade com que foi aceito na referida Ordem dita, respondeu que foi com 16 ou 17 ou próximo disso.

Quando lhe foi perguntado se havia dito estas coisas devido a um pedido, recompensa, gratidão, favor, medo, ódio ou convencimento de alguém, ou pelo uso de força, ou medo de tortura, ele respondeu que não. Quando lhe foi perguntado se desejava manter o que dissera durante a confissão, se fora feita de acordo com a verdade, e se havia acrescentado qualquer coisa falsa ou se havia omitido qualquer coisa verdadeira, respondeu que queria manter o que dissera anteriormente em sua confissão, durante a qual havia dito somente a verdade, que o que dissera estava de acordo com a verdade e que não acrescentara qualquer coisa falsa e nem omitira qualquer coisa verdadeira.

Depois disso, concluímos pela extensão da misericórdia da absolvição por esses atos ao irmão Geoffroy, que na forma e maneira descritas acima renunciara em nossa presença à heresia descrita e a qualquer outra, e jurou em pessoa sobre o Santo Evangelho do Senhor, e humildemente pediu pela misericórdia da absolvição, restabelecendo-o na unidade com a Igreja e reintegrando-o na comunhão da fé e sacramentos da Igreja.

No mesmo dia, em nossa presença e na presença dos notários, assim como das testemunhas relacionadas abaixo, o irmão Geoffroy de Gonneville compareceu pessoalmente e foi diligentemente questionado sobre a época e as circunstâncias de sua admissão e sobre os assuntos descritos acima. Ele respondeu que fazia cerca de vinte e oito anos ou perto disso desde que foi recebido como um irmão na Ordem dos Cavaleiros Templários pelo irmão cavaleiro Robert de Torville, preceptor dos comandos da Ordem dos Templários na Inglaterra, na cidade de Londres, na capela do comando local. E esse receptor, depois de colocar o manto dos Cavaleiros Templários sobre os ombros do novo membro, mostrou-lhe a cruz desenhada em um livro e disse que ele deveria renunciar àquele cuja imagem era retratada naquela cruz. Quando o recém-admitido não o quis fazer, o receptor lhe disse inúmeras vezes que deveria fazer assim. E, como este se recusasse completamente em o fazer, o receptor, vendo sua resistência, disse-lhe: "Você jura que se algum dos irmãos lhe perguntar, você dirá que renunciou, caso eu permita que você não o faça?." E o recém-admitido respondeu "sim", e prometeu que se fosse questionado por algum irmão da referida Ordem diria que havia feito a referida renúncia. E, como disse, não fez qualquer outra renúncia. Também disse que o referido receptor lhe disse que ele deveria cuspir na cruz. Quando o recém-admitido não quis agir assim, o receptor colocou sua própria mão sobre o desenho da cruz e disse-lhe: "Pelo menos cuspa em minha mão!." E, por temer que o receptor retirasse sua mão e um pouco do cuspe pegasse a cruz, ele não quis cuspir na mão com a cruz estando próxima.

Quando questionado diligentemente a respeito do pecado de sodomia, da adoração da cabeça, sobre a prática de beijos e outras coisas pelas quais os irmãos da referida Ordem gozavam de má reputação, disse que não sabia de nada. Quando perguntado se outros irmãos da Ordem foram aceitos na Ordem da mesma maneira que ele, disse que acreditava que o mesmo havia sido feito com os outros como lhe foi feito por ocasião de sua iniciação conforme havia descrito.

Quando lhe foi perguntado se havia dito essas coisas para atender a um pedido, recompensa, gratidão, favor, medo, ódio ou por convencimento de alguém, ou uso da força, ou medo de tortura, respondeu que não. Depois disso, concluímos pela extensão da misericórdia da absolvição por esses atos ao irmão Geoffroy de Gonneville, que na forma e maneira descritas acima renunciara em nossa presença à heresia descrita e a qualquer outra, e jurou em pessoa sobre o Santo Evangelho do Senhor, e humildemente pediu pela misericórdia da absolvição, restabelecendo-o na unidade com a Igreja e reintegrando-o na comunhão da fé e sacramentos da Igreja.

Papa Clemente V

Então no 19º dia do mês, em nossa presença e na presença dos notários e das mesmas testemunhas, o irmão Hugo de Pérraud, preceptor dos comandos templários na França, compareceu pessoalmente e jurou sobre o Evangelho Sagrado do Senhor, colocando sua mão sobre o mesmo, da mesma maneira descrita acima. Esse irmão Hugo, tendo jurado como indicado, e sendo diligentemente questionado sobre o modo de sua iniciação disse que foi recebido em Londres no comando local dos Templários, em sua igreja. Isso foi quarenta e seis anos atrás, contados desta última festa de Santa Madalena. Ele foi iniciado como irmão da Ordem pelo irmão Hubet de Perraud, seu próprio pai, um Visitante dos comandos Templários na França e Poitou, que colocou sobre seus ombros o manto da referida Ordem. Depois de isto feito, um irmão da referida Ordem, de nome João, que depois se tornou preceptor de La Muce, levou-o até um determinado lugar daquela capela, mostrou-lhe a cruz com a efígie de Cristo e ordenou que ele renunciasse Àquele cuja imagem estava representada ali. Ele se recusou, o quando pôde, de acordo com ele. Entretanto, vencido pelo medo e pelas ameaças do irmão John, ele renunciou Àquele que estava representado na cruz apenas uma vez. E, embora o irmão John tivesse ordenado inúmeras vezes para que cuspisse naquela cruz, ele se recusou.

Quando perguntado se teve que beijar o receptor, ele disse que sim, apenas na boca.

Quando perguntado sobre o pecado de sodomia, ele respondeu que aquilo nunca havia sido imposto a ele e que nunca o cometera.

Quando lhe foi perguntado se havia aceitado outros na Ordem, ele respondeu que o fez muitas vezes, e que aceitou mais pessoas do que qualquer outro membro vivo da Ordem.

Quando questionado sobre a cerimônia por meio da qual ele os aceitou, disse que depois de terem sido admitidos e de terem recebido o manto da Ordem, ordenou-lhes que renunciassem ao crucifixo e o beijasse no fundo das costas, no umbigo e então na boca. Disse também que ordenou que eles se abstivessem da parceria com mulheres, e, se fossem incapazes de conter seu desejo, que se juntassem com irmãos da Ordem.

Ele também disse sob juramento que a renúncia acima mencionada, feita durante a iniciação, assim como outras coisas descritas que ele exigiu daqueles recebidos por ele, foi feita apenas verbalmente, e não no espírito. Quando perguntado por que se sentiu culpado e não realizou no espírito as coisas que fez, ele respondeu que tais eram os estatutos ou tradições da Ordem e que sempre esperou que esse erro fosse removido da referida Ordem.

Quando perguntado se algum dos membros recebidos por ele se recusou a cuspir e a fazer outras coisas desonestas, como as relacionadas acima, ele respondeu que apenas alguns, e eventualmente todos faziam o que lhes era ordenado. Ele também disse que embora ele mesmo instruísse os irmãos da ordem que ele iniciara para que se juntassem com outros irmãos, nunca fizera aquilo, nem soubera de alguém que tivesse cometido esse pecado, exceto pelos dois ou três irmãos em Outremer, que foram encarcerados no Château Pèlerin.

Quando questionado se sabia se todos os irmãos da referida Ordem eram iniciados da mesma maneira que ele iniciara outros, disse que não sabia com certeza sobre os outros, apenas sobre si mesmo e aqueles a que iniciou, porque os irmãos são iniciados em tal segredo, que nada pode ser sabido com exceção daqueles que estão presentes. Quando perguntado se acreditava que todos foram iniciados dessa maneira, disse que acreditava que o mesmo ritual era usado para iniciar outros, como foi usado em seu caso, e que ele mesmo usara para receber outros.

Quando perguntado sobre a cabeça de um ídolo que seria adorada pelos Templários, disse que ela lhe havia sido mostrada em Montpellier pelo irmão Peter Alemandin, preceptor daquele lugar, e que essa cabeça continuava na posse do irmão Peter.

Quando perguntado qual era sua idade ao ser aceito na referida Ordem, respondeu que ouviu sua mãe dizer que tinha 18. Ele também disse que havia confessado essas coisas na presença do irmão

Guillaume de Paris, inquisidor de ações heréticas, ou seu substituto. Essa confissão foi registrada e assinada por Amise d'Orleans e outros notários públicos. Ele deseja manter essa confissão, tal como está, bem como manter na presente confissão que está em conformidade com a anterior. E se houver qualquer coisa a mais nessa confissão diante do inquisidor ou de seu substituto, como dito acima, ele ratifica, aprova e confirma.

Quando lhe foi perguntado se havia confessado essas coisas para atender a um pedido, recompensa, gratidão, favor, medo, ódio ou por convencimento de alguém, ou uso da força, ou medo de tortura, ele respondeu que não. Quando perguntado se, depois de preso, fora submetido a algum interrogatório ou tortura, ele disse que não.

Depois disso, concluímos pela extensão da misericórdia da absolvição por esses atos ao irmão Hugo, que na forma e maneira descritas acima renunciara em nossa presença à heresia descrita e a qualquer outra, e jurou em pessoa sobre o Santo Evangelho do Senhor, e humildemente pediu pela misericórdia da absolvição, restabelecendo-o na unidade com a Igreja e reintegrando-o na comunhão da fé e sacramentos da Igreja.

Então no 20º dia do mês, em nossa presença, e na presença dos notários e das mesmas testemunhas, o irmão-cavaleiro Jacques de Molay, grão-mestre da Ordem dos Cavaleiros Templários, compareceu pessoalmente, e tendo jurado da forma e da maneira indicadas acima, e tendo sido questionado diligentemente, disse que há quarenta e dois anos ou perto disso foi recebido como um irmão da referida Ordem pelo irmão-cavaleiro Hubert de Pérraud, na época Visitador da França e de Poitou, em Beune, diocese de Autun, na capela do comando Templário local.

A respeito da maneira como ocorreu sua iniciação na Ordem, disse que, ao receber o manto, o receptor lhe mostrou a cruz e disse que renunciasse ao Deus cuja imagem era mostrada naquela cruz, e que deveria cuspir na cruz. O que ele fez, embora não tivesse cuspido na cruz, mas próximo dela, de acordo com suas palavras. Ele também disse ter feito esta renúncia em palavras, mas não no espírito. Quanto ao pecado de sodomia, adoração da cabeça e a prática de beijos ilícitos, ele, diligentemente questionado, disse que nada sabia sobre aquilo.

Quando lhe foi perguntado se confessara essas coisas devido a um pedido, recompensa, gratidão, favor, medo, ódio ou convencimento de outra pessoa, ou pelo uso da força, ou medo da tortura, respondeu que não. Quando lhe foi perguntado se, após sua prisão, foi submetido a qualquer interrogatório ou tortura, respondeu que não.

Depois disso, concluímos pela extensão da misericórdia da absolvição por esses atos ao irmão Jacques de Molay, grão-mestre da referida Ordem, que na forma e maneira descritas acima renunciara em nossa presença à heresia descrita e a qualquer outra, e jurou em pessoa sobre o Santo Evangelho do Senhor, e humildemente pediu pela misericórdia da absolvição, restabelecendo-o na unidade com a Igreja e reintegrando-o na comunhão da fé e sacramentos da Igreja.

No mesmo 20º dia do mês, em nossa presença, e na presença das mesmas testemunhas e notários, o irmão Geoffroy de Gonneville, por livre e espontânea vontade, ratificou, aprovou e confirmou sua confissão assinada que lhe foi lida em sua língua nativa, e deu garantias de que pretendia sustentar e manter tanto esta confissão como a confissão que fizera em outra ocasião diante do inquisidor ou inquisidores em relação às referidas transgressões heréticas, na medida em que estava de acordo com a confissão feita diante de nós, os notários e as referidas testemunhas; e que se houver algo mais contido na confissão feita diante do inquisidor e inquisidores, como foi dito antes, ele ratifica, aprova e confirma isso.

No mesmo 20º dia do mês, em nossa presença e na presença das mesmas testemunhas e notários referidos acima, o irmão-preceptor Hugo de Pérraud igualmente de livre e espontânea vontade ratificou, aprovou e confirmou sua confissão assinada que lhe foi lida em sua língua nativa.

Ordenamos a Robert de Condet, clérigo da diocese de Soissons, notário pelo poder apostólico, que estava conosco com os notários e testemunhas relacionados abaixo, que registrasse e tornasse públicas como provas estas confissões, assim como cada e todas as coisas descritas acima que ocorreram diante de nós, os notários e testemunhas, e também tudo o que foi feito por nós, exatamente como mostrado acima, e que o validasse colocando nosso selo.

Isso foi feito no ano, indicção, mês, dia, pontificado e local indicado acima, em nossa presença e na presença de Umberto Vercellani, Nicolo Nicolai de Benvenuto e do acima mencionado Robert de Condet, e também do mestre Amise d'Orléans lê Ratif, notários públicos pelo poder apostólico, assim como o pio e distinto irmão Raymond, abade do mosteiro beneditino de São Teofredo, diocese de Annecy, o mestre Berard de Boiano, arquidiácono de Troia, Raoul de Boset, confessor e cônego de Paris, e Pierre de Soire, administrador de Saint-Gaugery in Cambresis, que foram reunidos especificamente como testemunhas.

E eu, Robert de Condet, clérigo da diocese de Soissons, notário pelo poder apostólico, observei com outros notários e testemunhas cada uma e todas as coisas descritas acima, que ocorreram na presença dos referidos reverendos padres senhores cardeais presbíteros, eu mesmo e outros notários e testemunhas, assim como o que foi feito por seus senhores. Por ordem de seus senhores os cardeais presbíteros, fiz este registro, e coloquei-o no formulário oficial, e selei-o com meu selo, tendo sido solicitado a proceder dessa maneira.

E também eu, Umberto Vercellani, clérigo de Béziers, notário pelo poder apostólico, observei com outros notários e testemunhas cada uma e todas as coisas descritas acima, que ocorreram na presença dos referidos senhores cardeais presbíteros, assim como o que foi feito por seus senhores cardeais presbíteros como mostrado acima em maiores detalhes. Por ordem desses cardeais presbíteros, para maior garantia, assinei ao final deste registro e selei-o com meu selo.

E também eu, Nicolo Nicolai de Benevento, notário por decreto apostólico, observei com as outras testemunhas e notários mencionados acima cada e todas as coisas descritas acima que ocorreram na presença dos senhores cardeais presbíteros, mencionados acima, bem como o que foi feito por seus senhores exatamente como está descrito acima com mais detalhes. Por ordem desses cardeais presbíteros, para maior garantia, assinei ao final deste registro e o selei com meu selo.

E também eu, Arnulphe d'Orléans, chamado o Ratif, notário pelo poder da Santa Igreja Romana, observei com as outras testemunhas e notários mencionados acima, confissões, depoimentos e cada e todas as coisas descritas acima que ocorreram na presença dos acima mencionados padres reverendos senhores cardeais presbíteros, bem como o que foi feito por seus senhores exatamente como está descrito acima com mais detalhes. Por ordem desses cardeais presbíteros, como testemunha da verdade, assinei ao final deste registro e selei-o com meu selo, tendo sido solicitado a proceder dessa maneira.

O TRATADO DE LATRÃO DE 1929 (TRECHOS)

Basílica de Latrão

O texto completo do Tratado de Latrão de 1929 está em (inglês):
http://www.aloha.net/~mikesch/treaty.htm

Considerando que a Santa Sé e a Itália reconhecem a conveniência de eliminar todos os motivos para discórdia existentes entre elas e chegando a um acordo definitivo sobre suas relações recíprocas, que deve ser compatível com a justiça e com a dignidade de ambas as Partes Contratantes, e que garantindo permanentemente à Santa Sé uma posição *de facto* e *de jure*, que irá garantir absoluta independência para a plena realização de sua missão no mundo, permite que a Santa Sé considere como definitiva e irrevogavelmente solucionada a Questão Romana que surgiu em 1870 com a anexação de Roma ao Reino da Itália, sob a Dinastia da Casa de Saboia.

E considerando que era obrigatório, para o fim de assegurar a independência absoluta e visível da Santa Sé, assim como garantir sua indiscutível soberania em questões internacionais, verificou-se a necessidade de criar sob condições especiais a Cidade do Vaticano, reconhecendo a plena propriedade, o domínio exclusivo e absoluto e a jurisdição soberana da Santa Sé sobre essa cidade.

Sua Santidade o Sumo Pontífice Pio XI e Sua Majestade Vítor Emanuel III, Rei da Itália, concordaram em celebrar um Tratado, nomeando para esse fim dois plenipotenciários, sendo em nome de Sua Santidade, seu Secretário de Estado, viz. Sua Reverendíssima Eminência o Senhor Cardeal Pietro Gasparri, e em nome de Sua Majestade, Sua Excelência o Cav. Benito Mussolini, Primeiro-Ministro e Chefe do Governo, os quais, depois de terem trocado credenciais de seus plenos poderes, que foram consideradas em boa e devida forma, concordaram com os seguintes artigos:

Artigo 1

A Itália reconhece e reafirma o princípio estabelecido no artigo primeiro da Constituição Italiana datada de 4 de março de 1848, segundo o qual a religião Católica Apostólica Romana é a única religião do Estado.

Artigo 2

A Itália reconhece a soberania da Santa Sé em questões internacionais como um atributo inerente, em conformidade com suas tradições e as exigências de sua missão no mundo.

Artigo 3

A Itália reconhece a plena propriedade, o domínio exclusivo, e a jurisdição e autoridade soberana da Santa Sé sobre o Vaticano na sua composição atual, juntamente com todos os seus privilégios e dotações, criando assim a Cidade do Vaticano, para os efeitos especiais e nas condições determinadas pelo presente.

(...)

Além disso, fica acordado que, embora faça parte da Cidade do Vaticano, a Praça de São Pedro continuará normalmente aberta ao público e estará sujeita à fiscalização das autoridades policiais italianas,

Vítor Emanuel III, rei da Itália

cujos poderes devem cessar ao pé dos degraus que levam à Basílica, embora esta última deva continuar a ser utilizada para a adoração pública. As referidas autoridades devem, portanto, abster-se de subir os degraus e entrar na referida Basílica, exceto se forem solicitadas a fazê-lo pelas autoridades competentes.

Caso a Santa Sé considere necessário, para a realização de cerimônias especiais, proibir temporariamente o acesso gratuito do público à Praça de São Pedro, as autoridades italianas devem (a menos que especificamente solicitadas a agir de outra forma) retirar-se para além das linhas externas da Colunata de Bernini.

Artigo 4

A soberania e jurisdição exclusiva sobre a Cidade do Vaticano, que a Itália reconhece como pertencente à Santa Sé, proíbem qualquer intervenção por parte do governo italiano ou que qualquer outra autoridade além da Santa Sé seja ali reconhecida.

(...)

Artigo 7

O governo italiano se compromete a proibir a construção dentro do território que cerca a Cidade do Vaticano de qualquer edifício novo que possa ter vista para esta, e com o mesmo objetivo deverá proceder à demolição parcial de edifícios semelhantes já erguidos. (...)

Em conformidade com as disposições do Direito Internacional, será proibido que aeronaves de qualquer tipo sobrevoem o território do Vaticano.

(...)

Artigo 8

Considerando que a pessoa do Sumo Pontífice é sagrada e inviolável, a Itália declara que qualquer tentativa contra a sua pessoa ou qualquer incitamento à prática de tentativa nesse sentido será punida com as mesmas penas imputadas a todas as tentativas semelhantes contra a pessoa do rei.

Todas as ofensas ou insultos públicos cometidos no território italiano contra a pessoa do Sumo Pontífice, seja por meio de discursos, atos ou escritos, serão punidos da mesma forma que ofensas e insultos cometidos contra a pessoa do rei.

Artigo 9

Em conformidade com as disposições do Direito Internacional, todas as pessoas com residência permanente na Cidade do Vaticano estarão sujeitas à soberania da Santa Sé. Tal residência não estará perdida em razão do simples fato de residência temporária em outro lugar, se não for acompanhada da perda da habitação na referida cidade ou outras circunstâncias que provem que tal residência foi abandonada.

(...)

Artigo 11

Todos os órgãos centrais da Igreja Católica estão isentos de qualquer interferência por parte do Estado italiano (salvo e exceto conforme previsto pela legislação italiana em relação à aquisição de bens feita por *corpi morali* [organismos públicos reconhecidos] e com relação à conversão de bens imóveis).

Artigo 12

Fica entendido que a Itália se compromete em todos os casos a permitir a liberdade de correspondência para todos os países, incluindo os beligerantes, de e para a Santa Sé, bem como o acesso livre à Sé Apostólica dos bispos de todo o mundo.

As Partes Contratantes comprometem-se a estabelecer relações diplomáticas normais entre si, nomeando um embaixador italiano na Santa Sé e um Núncio Apostólico para a Itália, que será o decano do Corpo Diplomático, de acordo com a prática normal reconhecida pelo Congresso de Viena pelo Ato de 9 de junho de 1815, em consequência da soberania reconhecida por meio deste e sem prejuízo do disposto no artigo 19 do presente, os diplomatas nomeados pela Santa Sé e os correios diplomáticos enviados em nome do Sumo Pontífice devem desfrutar no território italiano, mesmo em época de guerra, do mesmo tratamento concedido por personagens e correios diplomáticos de outros governos estrangeiros, de acordo com as disposições do Direito Internacional.

Artigo 13

A Itália reconhece a plena propriedade da Santa Sé sobre as Basílicas patriarcais de São João de Latrão, de Santa Maria Maggiore, e de São Paulo, com seus prédios anexos.

O Estado transfere para a Santa Sé a gestão e administração livres da referida Basílica de São Paulo e seu Mosteiro, também pagando à Santa Sé todas as quantias que representam as somas reservadas anualmente para essa igreja no orçamento do Ministério da Educação.

(...)

Artigo 14

A Itália reconhece a propriedade plena da Santa Sé sobre o Palácio Papal de Castel Gandolfo, junto com todas as dotações, instalações e suas dependências, que agora já estão de posse da Santa Sé, e a Itália também se compromete a entregar, num prazo de seis meses após a entrada em vigor do presente Tratado, a Villa Barberini, em Castel Gandolfo, junto com todas as dotações, instalações e dependências do mesmo.

(...)

INDICAÇÕES DE LEITURA

AARONS, Mark e Loftus, John. *Unholy Trinity: The Vatican, the Nazis and the Swiss Banks.* Nova York, St. Martin´s Press, 1991.

ALLEN, John L. Jr. *All The Pope´s Men: The Inside Story of How the Vatican Really Thinks.* Nova York, Doubleday, 2004.

ALLEN, John L. Jr. *Opus Dei.* Nova York, Doubleday, 2005.

AMBORSINI, Maria Luisa e Willis, Mary. *The Secrets of the Vatican Archives.* Nova York, Barnes & Noble, 1996.

BAUMGARTEN, Paula Maria. *The Vatican Library and Its Secret Archives.* Whitefish, MT, Kessinger, 2008.

BANDER, Peter. *The Prophecies of St. Malachy & St. Columbkille.* Gerrards Cross, Buckinghamshire, UK, Collins Smythe, 1969.

BOKUN, Branko. *Spy in the Vatican 1941-45.* Londres, Tom Stacey, 1973.

BOTTING, Douglas e Sayer, Ian. *Nazi Gold.* Nova York, Grove Press, 1984.

CHADWICK, Owen. *Catholicism and History: The Opening of the Vatican Archives.* Cambridge, Inglaterra, Cambridge University Press, 1978.

CHEETHAM, Nicolas. *Keepers of the Keys.* Londres, MacDonald, 1982.

Collins, Paul. *Papal Power*. Londres, HarperCollins, 1997.
Cornwell, John. *The Pontiff in Winter: Triumph and Conflict in the Reign of John Paul II*. Nova York, Doubleday, 2004.
Cornwell, John. *A Thief in the Night: The Death of John Paul I*. Londres, Viking, 1989.
Cornwell, Rupert. *God´s Banker: The Life and Death of Roberto Calvi*. Londres, Unwin, 1984.
Doyle, Thomas P., A.W.R. Sipe, e Wall, Patrick J. *Sex, Priests and Codes: The Catholic Church´s 2000-Year Paper Trail of Sexual Abuse*. Los Angeles, Volt Press, 2006.
Follain, John. *City of Secrets: The Startling Truth Behind the Vatican Murders*. Nova York, HarperCollins, 2004.
Friedlander, Saul. *Pius XII and the Third Reich*. Londres, Chatto & Windus, 1966.
Granfield, Patrick. *The Limits of the Papacy*. Nova York, Crossroads Books, 1987.
Greeley, Andrew. *The Making of the Popes*. Londres, Futura Press, 1987.
Gurwin, Larry. *The Calvi Affair: Death of a Banker*. Londres, Macmillan, 1983.
Jeffers, H. Paul. *Freemasons: Inside the World´s Oldest Secret Society*. Nova York, Citadel Press, 2005.
Kelly, J. *The Oxford Dictionary of Popes*. Oxford, Oxford University Press, 1986.
Knight, Stephen. *The Brotherhood: The Secret World of the Freemasons*. Londres, Granada, 1984.
Kung, Hans. *The Catholic Church: A Short History*. Nova York, The Modern Library, 2011.
Martin, Malachi. *The Vatican*. Londres, Secker & Warburg, 1986.
Murphy, Francis. *The Papacy Today*. Nova York, MacMillan, 1981.
Padallaro, Nazareno. *Portrait of Pius XII*. Londres, J. M. Dent, 1956.
Pallenberg, Corrado. *The Vatican from Within*. Londres, Harrap, 1961.
Podles, Leon J. *Sacrilege: Sexual Abuse in the Catholic Church*. Baltimore, MD, Crossland, 2008.

PONCINS, Leon de. *Vatican and Freemasons.* Nova York, Revisionist Press, 1982.

SHARAD, Cyrus. *Secrets of the Vatican.* Nova York, Gramercy, 2007.

WILLIAMS, Paul. L. *The Vatican Exposed.* Nova York, Prometheus, 2003.

YALLOP, David. *Em nome de Deus: uma investigação em torno do assassinato de João Paulo I.* Rio de Janeiro: Record, 1984.

ÍNDICE